처음처럼

촘 불서시리즈 01

처음처럼

지안 강설

조계종
출판사

서문 序文

학인 시절 어느 노스님에게 이런 말을 들은 적이 있다.

"『초발심자경문』 한 권만 뚝뚝히 배우면 평생 중노릇 잘할 수 있다."

그 노스님도 『초발심자경문』 한 권만 보고 평생 선방으로 다니면서 정진만 하였다고 했다. 소위 이력과목이라는 것에 사미과, 사집과, 사교과, 대교과가 있어 여러 과목을 공부한 후 사교입선捨敎入禪하는 상례가 있었으나 사실 수행에는 그리 많은 지식이 필요한 것은 아니다. 수행자에게 가장 중요한 것은 발심이 잘 되어야 한다는 것이다. "처음 발심할 때 바로 정각을 이룬다〔初發心時便正覺〕"고 했듯이 발심이 잘되면 성불이 기약되는 것이다. 뿐만 아니라, 세상의 모든 일도 그 일에 임하는 사람의 올곧고 투철한 정신 하나가 있어야 일에 성공할 수가 있다. 올곧고 투철한 정신, 이것이 바로 수행자의 발심과 같은 인간사의 발심이라 할 수 있지 않을까?
조계종출판사의 청탁으로 새로 『초발심자경문』을 번역 강설하면서

나 자신이 초심으로 돌아가는 느낌을 받았다. 승가에 몸담은 지 40년이 다 된 세월에 초심을 잃지 않으려고 무던히 애를 쓴 적도 있었지만 일상의 타성에 젖다보면 초심을 잃어버리는 경우가 많다. 사실 초심을 지키기는 매우 어렵다. 그렇기 때문에 수행이 나태해질 때 곧잘 초심으로 돌아가라는 말을 한다.

『초발심자경문』은 출가수행자를 경책하는 필독서지만, 일반교양서로도 필독서라 할 수 있다. 인간다운 정신을 일깨워 주는 훌륭한 내용이기 때문이다. 사람 사는 곳에는 어디든 수행이 있는 법이고 인간적 성숙을 위한 노력이 필요하다.

출가의 현대적 의미는 삶의 본질적인 의미를 추구하는 것이라 할 수 있다. 허망한 비본질적인 문제 때문에 인생에서 얼마나 많은 실수를 범하고 사는가? 번뇌가 중생의 업에서 나오는 것이긴 하지만 번뇌를 바로 알면 그 번뇌가 선업이 될 수도 있는 것이다.

불교를 공부하는 사람들과 독서를 좋아하는 교양인에게 『초발심자경문』을 읽어보라고 권하고 싶다. 그리하여 자신의 인생을 위하여

발심 공부를 하는 사람들이 나오기를 바라는 마음도 가져보고 싶다. 수행이란 인생의 가장 좋은 선택이다. 참된 진리를 추구하는 삶의 진정한 가치가 수행에서 나오는 법이다. 이런 의미에서 본다면 『초발심자경문』은 인생관 선택에 중요한 도움을 주는 법문들이다. 이 법문이 사람을 성숙시켜주는 정신적 양식이 될 것임은 틀림없다. 승속을 막론하고 이 책의 진정한 뜻을 음미하는 사람들이 많아져 정신 성장의 사회적 토양을 만들었으면 좋겠다.

끝으로 책의 출판에 힘써준 조계종출판사 관계자에게 감사를 드린다.

2009년 6월
은해사 승가대학원 패엽실에서

차례

일러두기

1. 이 책은 〈1570년 강진 무위사 초발심자경문 목판본〉을 저본으로 했다.

2. 현재 통용되는 『초발심자경문』의 한자와 저본이 다른 경우,
   문맥 흐름상 가장 자연스러운 것을 사용했다.

3. 저본과 달라 현재 통용되는 한자로 사용한 경우는 별도로 저자가 해설을 달았다.

誠初心學人文

처음 배우는 사람에게

夫初心之人은 須遠離惡友하고
부 초 심 지 인　　 수 원 리 악 우

親近賢善하야 受五戒十戒等하야
친 근 현 선　　 수 오 계 십 계 등

善知持犯開遮니라
선 지 지 범 개 차

무릇 처음 불문에 들어온 사람은 모름지기 나쁜 친구를 멀리하고 어질고 착한 이를 가까이하며, 오계와 십계 등을 받아서 지키고 범하고 열고 막을 줄 알아야 하느니라.

강설｜ 사람과 사람 사이에는 서로 주고받는 영향이 있다. 서로 좋은 영향을 미치는 수가 있는가 하면 나쁜 영향을 미치는 수도 있다. 때문에 수도에 임하는 초심자는 나에게 나쁜 영향을 주거나 수행을 방해할 염려가 있는 친구를 가까이하지 말고 좋은 본을 받을 수 있는 어진 사람을 가까이하라 하였다. 주위 환경에 따라서 사람의 하는 일이 잘되고 못되는 수가 있으므로 인적 환경이 좋으면 공부도 잘되는 것이다. 예로부터 먹을 가까이하면 검게 되기 쉽다 하여 근묵자흑近墨者黑이라는 숙어도 있으며 또 삼밭에 나는 쑥은 붙들어 주지 않아도 스스로 곧게 솟아 자란다 하여 봉생마중불부자직蓬生麻中不扶自直이라 하였다.

계를 지킨다는 것은 몸과 마음을 단속하여 나쁜 업을 짓지 않도록 하겠다는 것이다. 계라는 것이 그름을 막고 악을 그치는 것이라 하여 방비지악防非止惡으로 풀이하기도 한다. 수행의 시작은 계를 지키는 것에서 이루어진다. 『범망경』에는 '계를 인하여 선정을 얻고 선정을 인하여 지혜를 얻는다' 하였다. 대승에서는 더 큰 선근공덕을 성취하기 위하여 계도 열고 막을 줄 알아 상황에 따라 응용을 잘해야 한다고 한다.

주 │ 五戒十戒오계십계의 의미는 다음과 같다. 계율戒律은 산스크리트어 실라Sīla와 비나야Vinaya의 역어다. 불교 수행에서 반드시 실천해야 할 윤리적이고 도덕적인 규범을 말한다. 오계는 다섯 가지의 계목을 정하여 가장 근본적인 계행을 닦도록 하는 것으로 아래와 같다.

첫 번째는 생명체를 죽이지 말라는 불살생不殺生의 계이다. 두 번째는 남의 물건을 훔치지 말라는 불투도不偸盜의 계이다. 세 번째는 성범죄를 짓지 말라는 불사음不邪淫의 계이다. 네 번째는 거짓말을 하지 말라는 불망어不妄語의 계이다. 다섯 번째는 술을 마시지 말라는 불음주不飮酒의 계이다.

이 오계에 다섯 가지 계목을 추가하면 십계가 된다.

여섯 번째, 꽃다발을 쓰거나 향유 등을 몸에 바르지 말라는 불착향화만향도신不着香華鬘香塗身, 일곱 번째, 노래하고 춤을 추거나 풍류를 즐기지 말라는 불가무창기불왕관청不歌舞倡伎不往觀聽, 여덟 번째, 높고 넓은 큰 평상에 앉거나 눕지 말라는 부좌와고광대상不坐臥高廣大床, 아홉 번째, 때아닌 때에 먹지 말라는 불비시식不非時食, 열 번째, 금이나 은 등의 재보를 쌓아 두지 말라는 불축금은재보不蓄金銀財寶가 있다.

이상의 열 가지 계를 사미십계라 하고 또 『범망경』에 설해져 있는 보살계 가운데 십중대계十重大戒의 십계도 있다.

持犯開遮지범개차의 의미는 다음과 같다. 계를 지키는 데 있어 개차법開遮法이 있다. 지범개차라는 말은 하지 말라는 금계禁戒를 그대로 지키는 것이 지닌다는 뜻의 지持이고 범한다는 것은 하지 말라는 계율의 조목을 어겨 계를 파하면서 더 큰 선행을 하는 것을 말한다. 예를 들어 사슴을 쫓다 놓친 사냥꾼이 나무꾼에게 사슴이 어느 쪽으로 갔느냐 물었을 때 나무꾼이 사슴을 살려주기 위해서 사슴이 달아나지 않은 쪽으로 갔다고 한다면 거짓말을 한 것은 계를 범한 것이 되지만 사슴을 살려주려는 자비심에서 한 거짓말이므로 이 거짓말이 바른대로 말한 것보다 목숨을 보호하려는 숭고한 뜻이 있으므로 결과적으로 거짓말을 안 한 것보다 더 나은 결과가 되는 것이다.

개開란 어쩔 수 없이 금하는 물건을 약으로 쓰는 경우와 같은 것이고 차遮란 어떠한 일이 있어도 계를 범하지 않는 것이다. 환자가 몸을 위하여 육식肉食을 하거나 오신채五辛菜를 먹는 것은 개이며 반대로 철저히 금하는 것은 차이다.

但依金口聖言_{이언정}
단 의 금 구 성 언

莫順庸流妄說_{이어다}
막 순 용 류 망 설

旣已出家_{하야} 參陪淸衆_{인댄}
기 이 출 가 참 배 청 중

常念柔和善順_{이언정}
상 념 유 화 선 순

不得我慢貢高_{어다}
부 득 아 만 공 고

다만 부처님의 거룩한 말씀을 의지하고 어리석은 무리의 허망한 말을 따르지 말라. 이미 출가해서 청정한 대중에 참여하였거든 항상 부드럽고 화목하고 착하고 온순할 것을 생각하고 아만을 부려 잘난 체하지 말아야 한다.

처음 배우는 사람에게
誡初心學人文

강설┃ 불교 수행을 가장 적극적으로 하겠다는 뜻에서 출가의 의지를 가지고 승가에 들어온 사람들의 기본자세는 부처님 가르침에 충실히 따르려는 모범이 있어야 한다. 부처님 말씀을 우선적으로 생각하고 속된 무리의 부질없는 말에 귀를 기울여서는 안 된다. 옛적에 부처를 배우는 자들은 부처님 말씀이 아니면 하지 않았고 부처님 행실이 아니면 하지 않았다는 서산 스님의 『선가귀감』서문에 나오는 말처럼 초심자의 몸과 마음이 모두 부처님을 향하여 모여야 하는 것이다. 불교의 승가僧伽를 화합대중이라 한다. 사이 좋게 사는 사람들의 모임이라는 뜻이다. 이 화합을 도모하는 첩경은 부드럽고 온화한 마음으로 남 앞에서 아만을 드러내지 않는 일이다.

대중과 같이 살 때 반드시 지켜야 하는 입중오법入衆五法이 있다.

첫째가 하심下心으로 남 앞에서 겸손하게 자신을 낮추어 자기과시를 하지 않는 일이다. 둘째는 자심慈心으로 자비심에 입각해 매사를 보살피며 남에게 조금이라도 피해가 가지 않도록 해야 하며 셋째 공경恭敬으로 서로 예를 갖추어 교양 있는 태도로 인격적으로 사람을 대해야 한다. 넷째는 지차제知次第로 일의 순서와 법도를 바로 알아 주제넘거나 분수에 넘치는 행동이 나와서는 안 된다. 다섯째는 불설여사不說餘事로 필요 없는 말을 삼가고 도심이 흐트러지지 않게 하는 것이다.

주ㅣ　金口금구란 부처님의 말씀을 두고 하는 말이다. 금이 보배이듯 이 귀중하고 소중한 말씀이라는 뜻이다. 『금광명최승왕경金光明最勝 王經』「대변재천녀품」에 '여래의 금구는 참된 법을 연설하고 그 묘한 음성은 하늘과 사람을 조복한다' 하였다. 부처님께서 직접 하신 말씀을 금구직설金口直說 혹은 금구성언金口聖言이라 한다.

出家출가는 구도자가 되기 위해 속세의 생활을 등지는 것을 의미한다. 즉 재가在家와 상대되는 말인데 번뇌를 일으키는 집을 떠난다는 뜻이다.

大者는 爲兄하고 小者는 爲弟니라
대 자 위 형 소 자 위 제

儻有諍者어던 兩說로 和合하야
당 유 쟁 자 양 설 화 합

但以慈心相向이언정
단 이 자 심 상 향

不得惡語傷人이어다
부 득 악 어 상 인

若也欺凌同伴하야 論說是非인댄
약 야 기 릉 동 반 논 설 시 비

如此出家는 全無利益이니라
여 차 출 가 전 무 이 익

나이 많은 사람이 형이 되고 적은 사람은 아우가 되느니라. 만일 다투는 이가 있으면 두 사람의 마음을 화합시켜 자비로운 마음으로 서로 대하여 할지언정 나쁜 말로 사람을 상하게 하지 말아야 한다. 혹 같이 배우는 동료를 업신여기거나 속여서 시비를 한다면 이와 같은 출가는 전혀 이익이 없느니라.

유교의 삼강오륜三綱五倫에도 장유유서長幼有序가 있다. 나이 많은 이와 적은 이에게는 인륜에 따른 윤리적 차례가 있다는 뜻이다. 속언에 찬물도 위아래가 있다 했듯이 대중의 화합을 이루기 위해서도 상하의 위계질서가 있어야 한다는 뜻에서 나이를 통해 형과 아우의 예를 갖추어 지내라는 뜻이다. 또 사람이 주고받는 언어를 통해 그 사람의 인품이 드러난다. 때문에 부드럽고 좋은 말로 남에게 호감이 가도록 말을 해야 한다. 거칠고 나쁜 말을 하여 남의 기분을 상하게 하면 사람 사이를 나쁘게 만들고 덕을 잃게 된다. '가는 말이 고와야 오는 말이 곱다' 는 속담을 기억해 말로 인한 불화를 만들지 말아야 한다.

兩舌양설은 십악十惡의 하나인 이간질하는 말을 가리키는 것이나 여기서는 다투는 두 사람의 주장을 두고 한 말이다.

財色之禍는 甚於毒蛇하니
재 색 지 화 심 어 독 사

省己知非하야 常須遠離어다
성 기 지 비 상 수 원 리

無緣事則不得入他房院하며
무 연 사 즉 부 득 입 타 방 원

當屛處하야 不得强知他事하며
당 병 처 부 득 강 지 타 사

非六日이어든 不得洗浣內衣하며
비 육 일 부 득 세 완 내 의

臨盥漱하야 不得高聲涕唾하며
임 관 수 부 득 고 성 체 타

行益次에 不得搪揆越序하며
행 익 차 부 득 당 돌 월 서

經行次에 不得開襟掉臂하며
경 행 차 부 득 개 금 도 비

言談次에 不得高聲戲笑하며
언 담 차 부 득 고 성 희 소

非要事어든 不得出於門外하며
비 요 사 부 득 출 어 문 외

有病人 이어든 須慈心守護 하며
유 병 인　　　수 자 심 수 호

見賓客 이어든 須欣然迎接 하며
견 빈 객　　　수 흔 연 영 접

逢尊長 이어든 須肅恭廻避 니라
봉 존 장　　　수 숙 공 회 피

재물과 여색의 화는 독사보다 더 무서운 것이니, 몸을 살펴 그른 줄 알아서 모름지기 항상 멀리 하여야 한다. 할 일 없이 다른 사람의 방이나 집에 들어가지 말며, 은밀한 처소에서 구태여 남의 일을 알려 하지 말며, 육일이 아닌 날에는 내의를 빨지 말며, 양치하고 세수할 적에 큰 소리로 침을 뱉거나 코를 풀지 말며, 음식을 돌릴 적에 차례를 어기지 말며, 거닐 때에 옷자락을 헤치거나 팔을 흔들지 말며, 말을 할 적에 큰 소리로 웃거나 시시 닥거리지 말아야 한다.

요긴한 일이 아니면 문밖에 나가지 말며, 앓는 사람이 있으면 마땅히 자비로운 마음으로 간호해 주고, 손님이 오면 반갑게 맞아들이며, 어른을 만났을 때에는 공손하게 길을 비켜야 하느니라.

처음 배우는 사람에게
誠初心學人文

강설┃ 수행자는 무엇보다도 세속의 오욕락五欲樂을 초월하여야 한다. 재물과 이성 간의 애욕, 그리고 명예를 구하는 것과 좋은 음식을 탐하는 것, 또 수면을 지나치게 취하고자 하는 것을 오욕락이라 한다. 이를 한자로 재財, 색色, 음飮, 명名, 수睡라 한다. 이 오욕에 집착하면 수도의 길을 갈 수가 없다. 따라서 도심을 함양하기 위해서는 욕락의 경계에 끌려서는 안 되며 세속적 교류도 쉬어야 하는 것이다. 비본질적인 것을 과감히 버리고 본질적인 자기 문제에 부딪쳐야 한다. 몸과 마음을 절제하여 위의를 엄숙하고 여법하게 갖추어야 하며 계를 파하는 사소한 실수를 예방하기 위하여 빨래하는 날 등도 정해 놓고 한다는 것이다. 또 수행자는 무엇보다도 윤리 도덕의 모범이 있어야 한다. 이를 위해서 예의범절을 잘 갖추어야 한다. 사소한 몸짓 하나에서도 예의를 갖추어야 하고 결례된 일을 삼가야 한다.

주┃ 非六日비육일은 육 일이 아닌 날에 빨래를 하지 말라는 것이다. 한 달 가운데 초육일, 십육 일, 이십육 일 곧 육자가 들어 있는 날을 예로부터 빨래를 해도 좋은 날이라 하였다. 왜냐하면 이 날은 곤충류 같은 것들이 성인의 힘에 의해 제도가 잘 되는 날이라 여겼다. 옛날에는 이, 벼룩 등이 사람 옷에 있었으므로 빨래할 때에 이나 벼룩을 죽이는 살생을 막기 위해 빨래하는 날을 육 일로 택하였다. 육 일에 내의를 빨다가 벼룩이나 이를 상해하더라도 계를 범하는 것이 되지 아니한다고 생각했기 때문이다.

行益_{행익}은 대중공양할 때 방에 모인 대중에게 빠짐없이 음식을 돌리는 것을 말한다. 行은 차례로 내려가는 것을 뜻하고, 益은 음식을 담아주는 것을 뜻한다. 또 益은 문법청강_{問法聽講} 등으로 나를 이롭게 함을 뜻하는 말로 쓰인다. 법을 청하는 청법_{請法}을 청익_{請益}이라 하기도 한다.

經行_{경행}은 좌선을 하다가 일어나 대중이 함께 일정한 구역을 가볍게 걷는 것으로 행도_{行道}라고도 한다. 졸음을 막고 몸이 경색되는 것을 막는 가벼운 운동이라 할 수 있다.

辦道具_{하되} 須儉約知足_{하며}
판 도 구　　　수 검 약 지 족

齋食時_에 飮啜_을 不得作聲_{하며}
재 식 시　　음 철　　부 득 작 성

執放_에 要須安詳_{하야}
집 방　　요 수 안 상

不得擧顔顧視_{하며}
부 득 거 안 고 시

不得欣厭精麤_{하고}
부 득 흔 염 정 추

須默無言說_{하며} 須防護雜念_{하며}
수 묵 무 언 설　　수 방 호 잡 념

須知受食_이 但療形枯_{하야}
수 지 수 식　　단 료 형 고

爲成道業_{하며} 須念般若心經_{하되}
위 성 도 업　　수 념 반 야 심 경

觀三輪淸淨_{하야} 不違道用_{이어다}
관 삼 륜 청 정　　불 위 도 용

도구를 쓸 때 모름지기 절약하여 낭비하지 말고 만족할 줄 알아야 하며, 밥 먹을 때 씹는 소리를 내지 말며, 그릇이나 수저를 들고 놓을 적에 반드시 조심스럽게 하고 얼굴을 들어 돌아보지 말며, 맛있는 음식만 좋아하고 맛없는 음식이라고 싫어해서는 아니 되며, 말없이 침묵을 지켜야 하고 쓸데없는 생각을 하지 말아야 한다.

밥을 먹는 것은 다만 몸이 쇠약해지는 것을 막아 도道를 이루기 위한 것인 줄을 알아야 하며, 밥 먹을 때는 반야심경을 생각하되, 주는 사람이나 받는 사람이나 주는 물건이 모두 청정한 줄로 보아서, 도道 닦는 데 어그러짐이 없도록 하여야 하느니라.

강설 | 검소한 생활 속에 마음속 욕심과 성냄과 시기, 질투하는 마음을 없애가는 것이 수행이다. 이른바 삼독三毒이라 하는 탐貪, 진瞋, 치癡를 제거하는 것을 수행이라 말하기도 한다. 『반야심경』에 그 이름이 나오는 사리불이 어느 날 불교의 수행 목적인 열반涅槃이 무엇이냐는 외도의 물음에 탐, 진, 치 삼독이 사라진 것이 열반이라고 말해준 적이 있다. 계율을 잘 지키고 선정을 닦아 지혜를 얻는 불교의 수행을 삼학三學이라 하는데 『초발심자경문』의 대의를 예로부터 삼학을 닦아 보리를 증득한다는 수삼학修三學 증보리證菩提라고 표현

해 왔다. 또 초발보리심初發菩提心 근수계정혜勤修戒定慧라 하여 처음 보리심을 내어 부지런히 계戒, 정定, 혜慧를 닦는 것이 대의라고 말해 오기도 하였다.

『반야심경』은 제법이 공한 이치를 터득하며 지혜를 완성하고 수행을 성취한다는 대의를 가진 경으로 조석예불을 할 때에 반드시 대중이 합송하는 경전이다. 밥을 먹을 때에도 이 『반야심경』을 생각하라는 것은 빨리 공성空性을 깨달아 도를 이루겠다는 생각을 잊지 말라는 뜻이다.

주 │ 齋食재식은 부처님 계율에 따라 신, 구, 의 삼업을 삼가며 수행을 위해 음식을 먹는 것을 말한다. 물론 불사나 법요를 행할 때 공양하는 것을 시식, 시재, 재회라고도 하며, 사찰 안에 있는 식당을 재당, 재시를 알리는 법고를 재고, 조공을 개재, 오식午食 후를 재퇴 혹은 재파라 하고, 또는 조조早朝의 죽과 오식의 중간에 해당하는 오전 10~11시경을 반재半齋라 하기도 한다.

般若반야는 산스크리트어 프라즈나Prajñā를 음사音寫한 말로 지혜라 번역한다. 사물의 이치를 밝게 통찰하는 높은 지혜라는 뜻이다. 어원을 풀이하면 반야는 pra와 jñā의 합성어로 pra는 완전히, 철저히의 뜻이고 jñā는 알다, 인식하다는 뜻이다. 곧 실상의 이치를 완전하게 안다는 뜻이다. 불교의 궁극 목적은 이 반야를 터득해 지혜를 완성하는 것이다. 계, 정, 혜 삼학이 수행의 요지이나 혜학을 성취하기 위해서 계학과 정학을 닦는 것이다. 육바라밀에도 지혜바라밀이 마지막에 있다.

『반야심경』은 불교의 경전 가운데 600권에 달하는 『대반야경』의 핵심 대의를 요약 함축해놓은 경으로 간결하면서도 심오한 뜻을 담고 있다. 반야사상을 이해하는 데 매우 중요한 경일 뿐만 아니라 대승의 공사상을 담고 있어 선의 요체를 이해하는 데도 매우 중요하다.

『반야심경』에서는 반야를 세 가지로 설명하면서 이를 『반야심경』의 종취宗趣라 하기도 한다.

첫 번째는 실상반야實相般若라 하며, 반야의 본체本體이고 마음의 이체理體를 실상반야라고 한다. 가상假相의 경계를 뛰어넘어 일체 허망을 여읜 우주와 인생의 근본이고 중생에게 본래 갖추어져 있는 반야의 실성實性이다.

두 번째는 관조반야觀照般若라 하며, 모든 법의 실상實相을 관조하는 반야이며 실상의 이치를 비추는 것이 지혜의 작용이며 그 지혜의 작용이 반야 본체에서 나오므로 반야라 하는 것이다.

세 번째는 문자반야文字般若 로 방편반야方便般若라고도 하는데 실상을 체달한 지혜를 체體라 한다면 방편반야는 현상세계의 모든 차별된 법을 통달, 분별하는 용用적인 지혜라고 말할 수 있다. 또 문자로 반야를 나타낼 때 문자 자체가 반야는 아니지만 반야를 나타내는 방편이 되므로 문자반야라 한다.

三輪淸淨삼륜청정은 보시를 할 때 주는 사람, 받는 사람, 주고받는 물건, 이 세 가지를 삼륜이라 하는데 이는 주는 사람도 없고 받는 사람도 없으며 주고받는 물건도 없다는 뜻으로 하는 말이다. 모든 일체 관념적인 생각 곧 상을 여의어 공적한 줄을 알아야 한다는 뜻에서 한 말이다.

赴焚修^{하되} 須早暮勤行^{하고}
부 분 수　　수 조 모 근 행

自責懈怠^{하며} 知衆行次^에
자 책 해 태　　지 중 행 차

不得雜亂^{하며} 讚唄祝願^{하되}
부 득 잡 란　　찬 패 축 원

須誦文觀義^{언정} 不得但隨音聲^{하며}
수 송 문 관 의　　부 득 단 수 음 성

不得韻曲不調^{하며}
부 득 운 곡 부 조

瞻敬尊顔^{하되} 不得攀緣異境^{이어다}
첨 경 존 안　　부 득 반 연 이 경

須知自身罪障^이 猶如山海^{하고}
수 지 자 신 죄 장　　유 여 산 해

須知理懺事懺^{으로} 可以消除^{하며}
수 지 이 참 사 참　　가 이 소 제

深觀能禮所禮 皆從眞性緣起^{하며}
심 관 능 례 소 례　　개 종 진 성 연 기

深信感應^이 不虛^{하야} 影響相從^{이니라}
심 신 감 응　　불 허　　영 향 상 종

처음 배우는 사람에게
誡初心學人文

분수에 나아가되 모름지기 아침저녁으로 부지런히 행하고 스스로 게으름을 꾸짖으며, 대중의 행하는 차례를 알아서 어지럽게 하지 말라. 범패하고 축원할 적에 마땅히 글을 외우면서 뜻을 생각할지언정, 부질없이 소리만 내지 말며, 또 곡조를 틀리게 하지 말라. 부처님 존안을 우러러보되 다른 잡된 생각을 내지 말고, 다만 자기의 죄업이 산같이 높고 바다같이 깊은 줄을 알아서 마땅히 마음으로 뉘우치고 몸으로 참회하여 죄업을 소멸하라. 예배하는 자기 자신과 예배를 받는 부처님이 모두 참된 성품으로부터 반연하여 일어난 줄을 깊이 관찰해서 부처님의 감응이 헛되지 아니하여 마치 그림자와 메아리가 서로 따르는 것과 같음을 깊이 믿어야 하느니라.

강설 | 수행자는 조석예불을 부지런히 하여 부처님께 바치는 정성스러운 공경심을 통하여 신심을 북돋아나가야 한다는 점을 강조하는 대목이다. 부지런한 것이 가장 큰 복이라는 공자의 말씀이 있는 것처럼 수행자에게 게으름이 있어서는 안 된다. 기도를 하며 축원을 할 때에도 건성으로 해서는 안 되며 간절한 마음으로 부처님께 고하는 축원문의 뜻을 알아야 한다는 것이다. 노래를 부르는 사람이 가사를 틀리거나 박자 등 곡을 틀리게 부르면 실격이 되는 것처럼 범패를 하고 축원을 할 때도 틀리지 않게 정확하게 해야 하며 뜻

을 바로 알고 해야 한다는 점을 강조해 놓았다.

율문에 '알고 잡는 불덩이에는 손을 적게 덴다'는 말이 있는 것처럼 알고 하는 일과 모르고 하는 일에 있어 설사 악업을 짓는 일이라도 알고 하는 일이 모르고 하는 일보다 낫다는 것이다. 이는 중생의 업감業感을 가지고 하는 말이다.

참회는 불교 신행에서 매우 중요한 의미를 지닌다. 불교의 도덕 실천의 중요한 행사가 바로 참회이다. 참은 산스크리트어 크사마Ksama를 음사하여 참마懺摩라 하는 말을 줄여 참懺이라 하고 회悔는 의역을 하여 쓴 말이다. 이렇게 번역된 말을 화범쌍창華梵雙唱이라 한다. 중국말로 의역된 뜻과 산스크리트어의 음대로 발음되는 말을 둘 다 같이 쓰고 있다는 뜻이다. 스스로 범한 죄를 뉘우쳐 용서를 비는 일을 참회라 한다. 승가의 대중 생활에서 참회의 방법으로 실시되는 자자自恣나 포살布薩이 있다. 자자란 안거의 마지막 날 함께 정진하던 대중이 모여 개인의 잘못을 대중에 고백하고 또 자기의 허물을 대중에게 지적해 주기를 청하며 참회하는 의식을 말하고 포살이란 보름에 대중이 모여 계율에 관한 경전을 설하며 지은 죄가 있으면 참회하여 악을 없애고 선을 키우는 의식을 말한다.

주 │ 焚修분수는 아침저녁으로 법당에 들어가 부처님께 향을 사르고 예배드리는 것을 말한다. 분焚은 향을 태운다는 뜻이고 수修는 절을 한다는 뜻이다.

唄패는 인도에서 영찬하는 노래를 범패라 하는데 음절이 굴곡승강屈曲昇降하여 곡조에 맞게 읊어지는 소리 곧 성명聲明을 말하는 것이다. 요즈음은 염불하는 음성의 곡조를 범패라 하기도 한다.

理懺事懺이참사참은 참회懺悔의 방법을 제시해 놓은 것으로 이참은 실상實相의 이치를 관觀하여 죄에 대한 관념이 소멸하게 하는 참회를 말하고, 사참은 예불, 송경誦經 등 신업과 구업의 구체적인 행위로서 참회하는 것을 말한다. 참회기도 등을 할 때는 보통 사참을 두고 말한다.

能禮所禮능례소례에서 능례는 예배를 드리는 쪽이고 예불을 받는 불보살은 소례이다. 곧 동작의 주체를 능能이라 하고, 그 동작이 입혀지는 대상, 곧 객체를 소所라고 한다. 예컨대, 사물을 보는 눈은 능견能見이고 보이는 사물은 소견所見이며, 행하는 주체는 능행能行이고 행해지는 내용은 소행所行이 되는 것이다. 우리가 부처님께 귀의歸依할 때 귀의하는 주체자는 능귀能歸가 되고 귀의 받는 대상은 소귀所歸가 되며, 객관을 인식할 때 인식하는 주관은 능연能緣이 되고 그 객관은 소연所緣이 된다. 심식心識이 일어날 때 홀로 일어나는 것이 아니라 반드시 경계를 반연해서 일어나므로 이를 능소能所라고 구분하여 말한다.

居衆寮^{하되} 須相讓不諍^{하며}
거 중 료　수 상 양 부 쟁

須互相扶護^{하며} 愼諍論勝負^{하며}
수 호 상 부 호　신 쟁 론 승 부

愼聚頭閒話^{하며} 愼誤着他鞋^{하며}
신 취 두 한 화　신 오 착 타 혜

愼坐臥越次^{하며}
신 좌 와 월 차

對客言談^에 不得揚於家醜^{하고}
대 객 언 담　부 득 양 어 가 추

但讚院門佛事^{언정} 不得詣庫房^{하야}
단 찬 원 문 불 사　부 득 예 고 방

見聞雜事^{하고} 自生疑惑^{이어다}
견 문 잡 사　자 생 의 혹

대중방에 거처할 때는 서로 양보하고 다투지 말며, 마땅히 서로 도와주고
보호하며, 이기고 짐을 다투지 말며, 서로 모여 앉아 잡담하는 것을 삼가
며, 다른 사람의 신을 잘못 신지 말며, 앉고 누울 적에 차례를 어기는 것을
삼가며, 손님을 대해 말할 적에는 절집 허물을 드러내지 말고, 다만 절 안에
서 하는 부처님 법을 위한 일을 찬탄할지언정 부질없이 고방에 가서 잡된

일을 보거나 듣고서 스스로 의심을 내지 말아야 하느니라.

강설 │ 승가의 정신은 화합 정신이다. 사소한 일로 이 화합이 깨져서는 안 된다. 대중 생활에 있어서 개인의 조그마한 실수가 대중의 정진 분위기를 해치는 경우는 허다하다. 따라서 사소한 실수를 사전에 예방하기 위하여 힘쓰고 살아야 하는 것이 수행 도량에서는 생활이다. 수행 도량이 아닌 일반 사회의 단체 생활에서도 서로 양보하면서 남을 먼저 배려하려는 마음이 앞서야 한다. 공공의 질서를 지키는 데 있어서도 남에게 피해를 주지 않으려는 남을 위한 배려가 있어야 한다. 마치 교통질서를 지키는 데 있어서 양보의 미덕이 훌륭한 것처럼 남을 먼저 배려하는 마음이 화합의 중요한 관건인 것이다. 서로 먼저 하려고 다투다보면 그만큼 사고 발생률이 높아지는 것이 아니겠는가?

남의 신발을 잘못 신는 실수도 범하지 말라는 것은 사소한 것 하나라도 남에게 누가 되는 일을 삼가라는 것이다. 함부로 아무렇게나 하는 거친 행동이 나와서는 안 되며 언제나 조심스럽게 대중을 의식하고 있어야 내 몸에 좋은 습관이 생긴다. 좋은 습관 하나가 생기면 내게 이로운 동시에 남에게도 이로운 자리이타自利利他의 공덕이 성취되는 것이다. 더구나 부처님 법을 위해 사는 수도 생활이나 불교적 삶에 있어서 윤리 도덕적인 모범이 되는 행동 하나가 바로 불사佛事가 되는 일일 것이다.

주 ｜ 衆寮중요, 庫房고방은 사찰의 건물을 이르는 말이다. 사찰의 건물은 부처님이나 보살상을 모신 법당 건물과 대중이 거처하는 요사寮舍 건물로 구분된다. 여러 사람이 같이 생활하는 큰방이 요사이다. 고방은 물품들을 넣어 놓고 사람이 자주 드나드는 곳을 말한다. 佛事불사는 절에서 부처님 법을 위해 하는 모든 일을 이른다.

非要事_{어던} 不得遊州獵縣_{하야}
비 요 사 부 득 유 주 럽 현

與俗交通_{하야} 令他憎嫉_{하고}
여 속 교 통 영 타 증 질

失自道情_{이어다}
실 자 도 정

儻有要事出行_{이어든}
당 유 요 사 출 행

告住持人_과 及管衆者_{하야}
고 주 지 인 급 관 중 자

令知去處_{하며} 若入俗家_{어던}
령 지 거 처 약 입 속 가

切須堅持正念_{하되}
절 수 견 지 정 념

愼勿見色聞聲_{하고}
신 물 견 색 문 성

流蕩邪心_{이온} 又況披襟戲笑_{하야}
유 탕 사 심 우 황 피 금 희 소

亂說雜事_{하며} 非時酒食_{으로}
난 설 잡 사 비 시 주 식

妄作無碍之行_{하야} 深乖佛戒_{야따녀}
망 작 무 애 지 행　　심 괴 불 계

又處賢善人_의 嫌疑之間_{이면}
우 처 현 선 인　　혐 의 지 간

豈爲有智慧人也_{리요}
기 위 유 지 혜 인 야

住社堂_{하되} 愼沙彌同行_{하며}
주 사 당　　신 사 미 동 행

愼人事往還_{하며} 愼見他好惡_{하며}
신 인 사 왕 환　　신 견 타 호 오

愼貪求文字_{하며} 愼睡眠過度_{하며}
신 탐 구 문 자　　신 수 면 과 도

愼散亂攀緣_{이어다}
신 산 란 반 연

요긴한 일이 아니면 이 마을 저 마을로 다니며 속인과 교제하여 다른 사람에게 마음을 받고 자기의 도 닦는 생각을 잊지 않도록 해야 한다. 필요한 일이 있어 외출하게 되면 반드시 주지나 책임자에게 말해서 가는 곳을 알려야 하느니라. 만약 마을 집에 들어가게 될 때에는 반드시 바른 생각을 굳게 가져서 여러 가지 일을 보고 듣고 하더라도 그릇된 생각이 일어나지 않도록 조심해야 할 것이어늘, 하물며 옷깃을 헤치고 희롱하고 웃으면서 잡된 일을 어지럽게 말하거나, 때 아닌 때에 음식과 술을 먹고 망령되게 꼴사나운 짓을 하여 부처님의 계율을 어길 것인가? 그러다가 어질고 착한 사람들에게 혐의를 받게 되면 어찌 지혜 있는 사람이라 하랴. 공부하는 처소(社堂)에 있을 때에는 사미와 함께 지내는 것을 삼가며, 인사 차리느라고 오가는 것을 삼가며, 다른 사람의 잘잘못을 참견하는 것을 삼가며, 문자만을 너무 구하는 것을 삼가며, 잠을 정도에 지나치게 자는 것을 삼가며, 속된 반연에 꺼들려 산란함을 삼갈지어다.

강설 | 출가자에게는 출가 정신이 살아 있어야 한다는 것을 강조해 놓은 대목이다. 불교의 수행을 출세간법出世間法을 닦는 것이라 말하기도 한다. 출세간이란 생멸 변화하는 미혹한 세계를 벗어나 번뇌가 일어나지 않는 해탈의 세계에 들어가는 것을 말한다. 따라서 세속적인 습관을 고쳐 도에 임하는 수도 자세를 갖추어야 수행자의 품위가 서게 되는 것이다. 수행자의 위의威儀는 무엇보다 계행을 잘 지키는 데서 갖추어진다. 이미 오계나 십계를 잘 지키라는 말이 나왔지만 팔정도八正道에 나오는 수행의 지침처럼 '바른 견해(正見)를 세워 잊지 말고 마음에 새겨(正念) 게으르지 않게 정진하라(正精進).

일상생활에서 바른 생활을 영위하여[正命] 실수 없는 바른 행동[正業], 정직하고 악의 없는 말[正語] 그리고 그릇된 생각을 하지 않는다[正思惟]. 이에 바른 선정[正定]을 닦아 나가면 열반에 이른다' 하였다. 이 팔정도는 만대의 모범이 되는 불교 수행의 지침이다.

인사 차리느라 오가지 말라는 것은 사사로운 친분 때문에 대중의 수행 분위기에 누가 되지 않도록 하라는 말이다. 특히 초심자는 보지 말아야 하고 듣지 말아야 할 일이 있다. 남의 허물을 보지 말고 율의律儀에 맞지 않는 일은 보지 말아야 한다. 또 설사 남의 흉을 보는 소리를 들어도 듣지 않은 것처럼 해야 한다. 수행자는 자기를 이기는 극기 정신이 앞서야 한다. 정진을 위해 몸을 바치는 것이기에 잠도 적게 자라 하였다.

주│ 社堂사당이란 본래 사찰에 예속된 노비奴婢를 부르는 말로 쓰였다. 남녀를 구분하여 남사당, 여사당이라 하였다. 고려시대에는 사찰이 소유한 사노寺奴가 있었다. 그러나 사노가 없어진 이후로 사당은 절의 대중이 거처하는 건물을 지칭하는 말이 되었다.

沙彌사미는 십계를 받고 승가에 들어온 20세 미만의 어린 사람을 지칭하는 말이다. 산스크리트어 스라마네라Śrāmaṇera를 음사한 말이다. 『사미율의沙彌律儀』엔 사미를 셋으로 구분하여 설명하는데, 7세부터 13세까지의 나이로 아직 어려서 힘든 일을 못하고 대중을 위해서 곡식을 지키는 곳에 까마귀나 새를 쫓는 일 등을 하는 사미를

구오사미驅烏沙彌라 하고 14세부터 19세까지 스승을 모시거나 선을 하고 송경을 하는 사미를 응법사미應法沙彌라 하며, 출가가 늦어 나이가 20세가 넘은 경우나 근기가 약해 구족계를 받지 못하고 사미로 나이가 많아진 사람을 명자사미名字沙彌라 한다 하였다.

貪求文字탐구문자는 불법을 배우는 사람이 문자에만 집착하다 참된 뜻을 망각하는 수가 있으므로 문자에 치우치는 것을 주의시킨 것이다. 문자는 부처님의 말씀을 기록한 것으로 가르침을 전하기 위하여 방편으로 사용한 것이다. 그러므로 문자 자체가 진리인 것은 아니다. 문자를 통해서 법을 배우고 수행하는 방법을 배울 따름이다. 글을 보면서 반드시 마음을 반조返照하여야 한다. 청매 인오青梅印悟 선사의 『십무익송十無益頌』에 '심불반조心不返照 간경무익看經無益'이라 하였다. 마음을 반조하지 않고 경을 보는 것은 소용없다는 말이다.

若遇宗師陞座說法_{이어든}
약 우 종 사 승 좌 설 법

切不得於法_에
절 부 득 어 법

作懸崖想_{하야} 生退屈心_{하며}
작 현 애 상 생 퇴 굴 심

或作慣聞想_{하야} 生容易心_{하고}
혹 작 관 문 상 생 용 이 심

當須虛懷聞之_{하면}
당 수 허 회 문 지

必有機發之時_{이리니}
필 유 기 발 지 시

不得隨學語者_{하야} 但取口辦_{이어다}
부 득 수 학 어 자 단 취 구 판

所謂蛇飲水_{하면} 成毒_{하고}
소 위 사 음 수 성 독

牛飲水_{하면} 成乳_{인달하야}
우 음 수 성 유

智學_은 成菩提_{하고}
지 학 성 보 리

愚學은 成生死라함이 是也니라
우 학 성 생 사 시 야

만일 종사 스님이 법상에 올라 법문하는 때를 만나거든, 그 법문이 어렵다는 생각으로 물러설 마음을 내거나, 혹은 평소에 늘 듣는 것이라고 해서 소홀하게 생각하지 말고, 마땅히 생각을 비우고 법문을 들으면 반드시 깨달을 때가 있으리라. 말만 배우는 사람처럼 입으로만 판단하지 말아야 한다. '독사가 물을 마시면 독을 이루고 소가 물을 마시면 젖을 이룬다'는 말과 같이, '지혜롭게 배우면 보리를 이루고 어리석게 배우면 생사를 이룬다'함이 이를 두고 하는 말이니라.

강설 │ 수도자는 법을 구하는 사람이다. 불법의 심오한 이치를 깨닫기 위해 공부하는 사람이다. 큰스님들의 법문을 경청하여 자신의 공부를 향상시키는 것은 무엇보다 중요한 일이다. 스승에게 법문을 청하는 것을 청익請益이라 하는 것처럼 법문을 들으면 자신에게 법의 이익이 오게 된다. 설사 어려워 알아듣기 어려운 내용이 있더라도 그 말씀의 뜻이 무엇일까 두고두고 생각해보는 마음이 있어야 한다. 또 자주 들었던 말씀이라 하여 소홀히 여겨서도 안 된다. 똑같은 법문을 듣고도 사람에 따라 청법의 결과가 달라진다는 것을 좋은 비유를 들어 설명했다. "독사가 물을 마시면 독을 이루고 소가 물을 마시면 우유를 이룬다"는 말은 수행자를 경책할 때 자주 인용하는 말이다.

주 | 宗師종사란 불법의 종취를 터득한 큰스님을 부르는 말이다. 선문禪門에서는 깨달음을 얻고 조사의 정법을 계승한 사람을 본분종사本分宗師라 하는데 줄여 종사라 한다.

懸崖想현애상에서 현애는 깎아지른 낭떠러지를 뜻하는 말로 도저히 올라갈 엄두가 나지 않는 것을 비유하는 말이다. 즉 법문을 들을 때 어려워 도저히 알아들을 수 없다고 듣기를 포기하는 것을 두고 한 말이다. 또 자신의 능력을 스스로 한정지어 나는 아무리 배워도 안 되겠다 하고 물러나는 마음을 내어, 용맹스럽게 정진하여 해보려는 의지를 상실하는 것을 말한다.

慣聞想관문상은 법문을 들을 때 흔히 듣던 이야기라고 귀담아들으려 하지 않거나, 여러 번 들어서 잘 알고 있다는 알음알이를 가지고 법사의 법문에 주의를 기울이지 않는 것이다. 내가 알고 있는 내용이

처음 배우는 사람에게
誡初心學人文

라고 자만심을 내면 이미 알고 있는 지식이 오히려 장애가 되어 자
기 수행을 방해하게 된다.

又不得於主法人에 生輕薄想하라
우 부 득 어 주 법 인 생 경 박 상

因之於道에 有障하면
인 지 어 도 유 장

不能進修하리니 切須愼之어다
불 능 진 수 절 수 신 지

論에 云하되 如人이 夜行에
논 운 여 인 야 행

罪人이 執炬當路어던
죄 인 집 거 당 로

若以人惡故로 不受光明하면
약 이 인 악 고 불 수 광 명

墮坑落塹去矣라 하시니
타 갱 락 참 거 의

聞法之次에 如履薄氷하야
문 법 지 차 여 리 박 빙

必須側耳目而聽玄音하며
필 수 측 이 목 이 청 현 음

肅情塵而賞幽致라가
숙 정 진 이 상 유 치

처음 배우는 사람에게
誡初心學人文

下堂後에 默坐觀之하되
하 당 후 묵 좌 관 지

如有所疑어던 博問先覺하며
여 유 소 의 박 문 선 각

夕惕朝詢하고 不濫絲髮이어다
석 척 조 순 불 람 사 발

如是라야 乃可能生正信하야
여 시 내 가 능 생 정 신

以道爲懷者歟인저
이 도 위 회 자 여

또 법문하는 법사에 대하여 업신여기는 생각을 내지 말라. 그로 인하여도 장애가 되어 공부에 발전이 없으리니 특히 조심해야 한다. 논에 말하기를 '어떤 사람이 밤길을 가다가 햇불을 들고 가는 죄인을 만났을 때, 만약 그 사람이 나쁜 사람이라 하여 불빛까지 받지 않는다면 구렁에 떨어질 것이다'라고 하였으니, 법문을 들을 때는 얇은 얼음 밟듯 조심하여 반드시 귀와 눈을 기울이고 현묘한 법을 들어야 하며, 마음을 가다듬어 그 깊은 뜻을 음미하고 법문이 끝난 다음에는 고요히 앉아 생각해보고 만일 의심나는 데가 있으면 '널리 아는 이'에게 물어야 하며, 아침저녁으로 생각하고 물어서 털끝만치라도 틀림이 없게 해야 하느니라.

이와 같이 해야 능히 바른 믿음을 내어서 도를 품고 사는 사람이라 할 수 있다.

강설 │ 법을 존중하는 정신으로 법사를 존중해야 한다는 뜻이다. 법 한 구절을 잘 들으면 생사를 벗어날 수 있다 하였다. 부처님이 과거 인행시因行時에 설산동자雪山童子가 되어 『열반경』 사구게四句偈인 '이 세상 모든 것 덧없어서 생겼다 없어지는 법이다〔諸行無常 是生滅法〕'라는 법문을 듣고 뒤의 말을 듣지 못하여 나찰에게 몸을 먹이로 바치기로 하고 뒤의 두 구절 '생멸 자체가 없어지면 고요한 즐거움이 있다〔生滅滅已 寂滅爲樂〕'를 들었다는 설화가 있다. 불교는 어디까지나 법을 위하는 종교다. 석가모니부처님의 유언에 '법을 의지하고 사람을 의지하지 말라'는 말씀도 있다. 부처님의 법은 어둠을 밝혀 주는 횃불과 같은 것이다. 다시 말하면 광명이라는 말이다. 중생이 어둠 속에 아무것도 보지 못하고 있기에 부처님이 횃불을 밝혀 비추어주고 이제 밝아졌으니 '보고 싶은 사람 와서 보라', '눈 있는 사람 와서 보라' 하신 것이 부처님의 법이다. 그러므로 부처님의 법을 지혜의 광명이요, 자비의 광명이라고 말한다.

주ㅣ 輕薄想경박상은 업신여기고 소홀히 여기는 생각을 말한다. 불법을 가벼이 여기고 또 법사를 업신여겨 법문을 잘 들으려고 하지 않는 폐단을 지적해 놓았다. 모든 수행의 의지는 결국 법을 향해 나아가는 것이다. 그런데 마음이 법에 소홀하면 법문을 들어도 이익이 없는 것이다. 사람은 자기의 업에 따른 장애가 있다. 소위 업장業障이라는 것이 있어 때로는 정법을 만나지 못하는 수가 있고 발심의 계기를 얻지 못하는 수가 있다. 불연佛緣이 깊을수록 깨달음을 기약할 수 있고 도업을 이룰 가능성이 높아지는 것이다.

無始習熟_한
무 시 습 숙

愛欲恚痴_가 纏綿意地_{하야}
애 욕 에 치 전 면 의 지

暫伏還起_{함이} 如隔日瘧_{하나니}
잠 복 환 기 여 격 일 학

一切時中_에
일 체 시 중

直須用加行方便智慧之力_{하야}
직 수 용 가 행 방 편 지 혜 지 력

痛自遮護_{언정}
통 자 차 호

豈可閒謾_{으로} 遊談無根_{하야}
기 가 한 만 유 담 무 근

虛喪天日_{하고}
허 상 천 일

欲冀心宗而求出路哉_{리요}
욕 기 심 종 이 구 출 로 재

비롯함 없는 옛적부터 익혀온 애욕과 성내는 마음과 어리석은 생각이 마음에 얽히고 설쳐, 잠깐 수그러졌다가 다시 일어나는 것이 마치 하루 걸이 학질과 같으니, 어느 때든지 더욱 수행하는 방편과 지혜의 힘을 써서 마음속에 번뇌가 들어오지 못하게 하여야 할 것이거늘, 어찌 한가하게 근거 없는 이야기로 세월을 헛되이 보내면서 마음을 깨달아 삼계를 벗어나는 길을 구한다 하겠는가?

강설 │ 부처님의 십대제자 가운데 지혜가 제일이었던 사리불이 어느 날 어떤 사람에게서 이런 질문을 받는다.

"당신들이 추구하는 열반의 경지가 어떤 경지입니까?"

이때 사리불은 이렇게 대답하였다.

"탐욕이 소멸되고 화가 소멸되며, 어리석음이 소멸된 것이 열반입니다."

열반은 산스크리트어 니르바나 Nirvāṇa를 음사한 말로 이론적으로 설명할 때 욕망의 불길 번뇌의 불길이 꺼졌다는 뜻에서 취소吹消라고 번역하는 말이다. 이른바 의삼업意三業에 해당하는 탐, 진, 치 삼독이 소멸된 것이 열반이라는 사리불의 대답은 아주 간명하게 불교의 대의를 나타낸 말이다. 일체 번뇌의 근본이 바로 삼독인 것이다.

주 │ 愛欲_{애욕}은 중생이 가지고 있는 근본 욕망으로 산스크리트어 카마_{Kama}의 역어이다. 무엇이든 탐착하는 것을 가리키는 말이다. 목 마른 이가 물을 찾는 것처럼 욕망의 만족을 부단히 추구하는 마음이므로 갈애_{渴愛}라고도 번역한다. 물론 이 애욕도 종류가 다르다.『대비바사론』권29에 의하면, 오염된 애와 오염되지 않은 애의 두 가지가 있다 하였다. 오염된 애는 탐_貪이요, 오염되지 않은 애는 신_信이라고 하였다.『지도론』권72에서는 욕애_{慾愛}와 법애_{法愛}의 두 가지 애를 말하고 있다. 욕애는 범부의 애착을 말하고 법애는 보살이나 부처님이 선법_{善法}을 사랑하고 열반을 사랑하는 마음이며, 여래가 자비로 일체중생을 연민히 여기는 대자비를 말한다.

恚痴_{에치}는 산스크리트어 프라티가_{Pratigha}의 역어로 진에_{瞋恚}와 우치_{愚痴}를 합하여 말하는 것이다. 주관에 응해오는 객관 경계가 마음에 들지 않아 증오하는 정신 작용을 말한다. 우치는 산스크리트어 아즈나나_{Ajñāna}의 역어로 어리석음 곧 마음이 어두워 지혜가 없어진 상태를 일컫는 말이다.

加行_{가행}은 산스크리트어 프라요가_{Prayoga}의 역어로 몸과 마음으로 노력을 더해 수행에 박차를 가하는 것을 말한다.

心宗_{심종}은 번뇌가 떠나 있는 마음의 근원인 성품 자리 곧 불성을 두고 하는 말이다. 불심종_{佛心宗}이라고도 하며 자비로 충만한 부처님의 마음인 깨달음 자체를 가리켜 심종이라 한다. 때로는 선종_{禪宗}을 지칭하는 말로 쓰이기도 한다.

但堅志節_{하야} 責躬匪懈_{하며}
단 견 지 절　　책 궁 비 해

知非遷善_{하야} 改悔調柔_{어다}
지 비 천 선　　개 회 조 유

勤修而觀力_이 轉深_{하고}
근 수 이 관 력　　전 심

鍊磨而行門_이 益淨_{하리라}
연 마 이 행 문　　익 정

長起難遭之想_{하면}
장 기 난 조 지 상

道業_이 恒新_{하고} 常懷慶幸之心_{하면}
도 업　　항 신　　상 회 경 행 지 심

終不退轉_{하리니}
종 불 퇴 전

如是久久_{하면} 自然定慧圓明_{하야}
여 시 구 구　　자 연 정 혜 원 명

見自心性_{하며} 用如幻悲智_{하야}
견 자 심 성　　용 여 환 비 지

還度衆生_{하야}
환 도 중 생

作人天大福田하리니 切須勉之어다.
작 인 천 대 복 전 　　절 수 면 지

다만 뜻과 절개를 굳게 가져 항상 게으름을 채찍질하고 잘못을 알았으면
바로 고쳐서 허물을 뉘우치고 조화된 부드러운 마음이 되어야 한다. 부지
런히 닦으면 관하는 힘이 더욱 깊어지고, 갈고 닦으면 수행이 더욱 청정해
지리라. 항상 불법을 만나기 어렵다는 생각을 일으키면 도 닦는 마음이 늘
새로워지고, 항상 다행하다는 마음을 가지면 마침내 물러나지 아니하리라.
이와 같이 꾸준히 공부하면 정·혜가 저절로 뚜렷이 밝아져서, 자신의 심성
을 보아 요술쟁이 요술과 같은 자비와 지혜를 써서 모든 중생을 제도하여
인간과 천상의 큰 복 밭이 될 것이니 모름지기 간절히 힘쓸지어다.

강설 │ 수행자의 수행에 임하는 의지를 나타내는 입지게立志偈라는
게송이 있다.

자종금신지불신 自從今身至佛身

견지금계불훼범 堅持禁戒不毀犯

유원제불작증명 唯願諸佛作證明

영사신명종불퇴 寧捨身命終不退

금생의 이 몸이 부처가 될 때까지

굳게 계를 지켜 조금도 훼손하지 않겠습니다.

오직 원컨대 부처님께서 증명해 주옵소서

차라리 몸과 목숨을 버릴지언정 마침내 물러나지 않겠나이다.

수행자는 지조와 절개를 중시한다. 수행자는 오직 구도의 정신으로 일생을 살아가는 사람이다. 길이 아니면 가지 않는다는 말이 있듯이 수행자는 자기의 길을 묵묵히 가는 사람이다. 예로부터 수행에 투철한 스님들의 정신을 비유하여 상송결조霜松潔操 수월허금水月虛襟 이라는 말이 전해왔다. '서리를 이기는 소나무 기상과 같은 맑은 지조, 물속에 비친 달과 같은 텅 빈 가슴'이라는 뜻이다.

불법난봉佛法難逢이라는 말도 우리 불가에서 자주 써온 말이다. 부처님 법을 만나기가 쉽지 않다는 이 말은 불법의 소중함을 강조하는 말이다. 만나기 어려운 불법을 만나 다행이라는 생각으로 도를 닦으면 도업이 항상 새로워진다 하였다. 하루하루 새로운 마음으로 도업에 전념하라는 말이다.

주 | 定慧정혜는 선정과 지혜를 합친 말이다. 불교의 수행을 계, 정, 혜 삼학으로 설명하는데 참선 수행에서 특히 정혜쌍수定慧雙修라 하여 선정과 지혜를 함께 닦아야 한다고 강조한다. 다시 말해 정혜는 불교 수행의 2대 실천적 요소이다.

大福田대복전은 일체중생이 부처님께 공양, 공경하고 부처님의 가르침을 따르면 한량없는 큰 복을 얻는다 해서 부처님을 일체중생의 큰 복 밭이라 한다. 마치 농부가 밭에 씨를 뿌리면 다음에 큰 수확을 얻는 것과 같으므로 복전이라 하는 것이다.

이 복전도 경전敬田과 은전恩田, 비전悲田으로 나누어 설명하기도 한다. 경전은 삼보를 공경함으로써 복을 성취하는 것을 말하고 은전은 은혜를 갚는 마음이 복전이 된다는 뜻에서 하는 말이다. 부모나 스승, 부처님께 은혜를 느끼고 은혜를 갚고자 하는 마음을 낼 때 복이 성취된다는 뜻이다. 비전은 자비를 베풀고 불우한 사람에게 보시를 하는 것이 밭에 씨를 뿌리는 것처럼 복을 성취하게 된다는 말이다.

發心修行章

발심하여 수행하라

夫諸佛諸佛 莊嚴寂滅宮
부 제 불 제 불 　 장 엄 적 멸 궁

於多劫海_에 捨欲苦行_{이요}
어 다 겁 해 　 사 욕 고 행

衆生衆生_이 輪廻火宅門_은
중 생 중 생 　 윤 회 화 택 문

於無量世_에 貪欲不捨_{니라}
어 무 량 세 　 탐 욕 불 사

無防天堂_에 少往至者_는
무 방 천 당 　 소 왕 지 자

三毒煩惱_로 爲自家財_요
삼 독 번 뇌 　 위 자 가 재

無誘惡道_에 多往入者_는
무 유 악 도 　 다 왕 입 자

四蛇五欲_{으로} 爲妄心寶_{니라}
사 사 오 욕 　 위 망 심 보

무릇 모든 부처님께서 적멸궁을 장엄하신 것은 오랜 겁을 두고 인욕하고 고
행한 탓이요, 중생마다 불난 집의 문을 윤회하는 것은 한량없는 세상을 살
아오면서 탐욕을 버리지 못한 탓이니라.

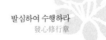

못 오게 막지 않는 천당에 가는 사람이 적은 것은 욕심·성냄·어리석음으로 자기 집 재물을 삼은 까닭이고, 꾀지 않는 악도에 가는 사람이 많은 것은 네 마리 독사와 다섯 가지 욕락으로 진심이 아닌 망심의 보배를 삼았기 때문이다.

강설 | 부처와 중생은 마음에 일어나는 생각이 다르다. 사람은 생각에서 의지를 만들어 행동을 일으킨다. 착한 생각은 선행을 일으키고 악한 생각은 악행을 일으키는 것처럼 생각하는 방식에 따라 개개인의 길이 열리는 것이다. 부처의 길과 중생의 길은 똑같은 마음에서 일으키는 의지의 방향이 다를 뿐이다. 깨달음을 추구하는 발심수행자에게는 세속의 욕락이 도로 나아가지 못하게 하는 함정일 수 있다. 그렇기 때문에 이러한 함정에 빠지면 부처의 세계를 만날 수 없는 것이다. 더욱이 출가수행자는 출가의 정신이 초지일관 살아있어야 한다. 번뇌의 집을 벗어나 열반의 성城으로 가고자 하는 굳건한 의지를 세워 물러남이 없는 수행의 행보를 꾸준히 계속해 나가야 한다.

주 | 寂滅적멸은 열반과 같은 말로 산스크리트어 니르바나Nirvāṇa를

음역하면 열반이요, 의역하면 적멸이다. 일체의 고통과 번뇌가 사라진 최고의 이상향을 말한다. 욕망의 불길, 번뇌의 불길이 꺼졌다는 뜻에서 취소吹消라 번역하기도 한다. 마치 촛불을 훅 불어 꺼버리는 것과 같다는 뜻이다. 현대적 개념으로 설명하면 진정한 평화를 누릴 수 있는 상태이다. 해탈이라는 말도 불교의 목적을 나타내는 말인데 이는 산스크리트어 비모크사Vimoksa를 번역한 말로 완전한 자유를 얻은 경지를 가리키는 말이다. 열반이 정적인 측면에서 한 말이라면 해탈은 동적인 측면에서 하는 말이다.

劫겁은 산스크리트어 칼파Kalpa의 음역으로 시간의 최장最長을 나타내는 말이다. 숫자로 표현할 수 없는 무한대의 시간이다. 이 겁을 설명할 때 비유를 들어 말하는 두 가지 겁이 있다. 개자겁芥子劫과 반석겁盤石劫인데 개자겁은 사방 100유순由旬의 성 안에 개자씨를 가득 채워놓고 장수천 사람이 삼 년에 한 번씩 내려와 한 알씩 가져가 다 없어질 때까지를 말하고, 반석겁은 사방 40리 높이 40리의 반석을 장수천 사람이 삼 년에 한 번씩 내려와 앉았다 가는 힘에 의해 반석이 다 닳아 없어질 때까지를 말한다. 고대 인도에서는 인간 세상의 4억 3천2백만 년이 범천梵天의 하루라 하여 이 시간을 겁이라 하기도 했다.

火宅화택은 불난 집이라는 뜻으로 『법화경』에 '중생이 윤회하며 사는 세 가지 세계가 편안하지 못한 것이 마치 불난 집과 같다三界無安猶如火宅'고 한 구절에서 인용한 말로 이는 곧 삼계윤회고三界輪廻苦를

발심하여 수행하라
發心修行章

말하는 것이다.

三毒삼독은 탐욕, 진에, 우치의 세 가지 번뇌를 말하며, 이를 의업意
業 삼악三惡으로 간주하기도 한다. 독이라 한 것은, 『대승의장』에 삼
독이 모두 삼계의 온갖 번뇌를 일으키는 근본이 되어 중생을 해치
는 것이 마치 독사毒蛇나 독용毒龍의 독과 같다 하였다. 이 삼독을 삼
불선근三不善根이라 하기도 한다.

四蛇사사는 사람의 신체를 구성하는 네 가지 요소인 사대四大를 뱀
에 비유하여 말한 것이다. 곧 '지地·수水·화火·풍風' 네 원소를
말하는 것이다. 현대적 원소기호로 말하면 땅은 질소(N)이고 물은
수소(H)이며 불은 탄소(C)이고 바람은 산소(O)이다.

五欲오욕은 재물 욕심인 재욕, 성적 욕망인 색욕, 먹고자 하는 본능
인 음식욕, 그리고 명예를 추구하는 명예욕, 잠을 자고자 하는 수
면욕의 다섯 가지를 말한다. 인간은 이 오욕을 추구하다가 일생을
마치고 만다. 그리하여 자기의 본래 불성을 망각하고 악업을 지어
악도惡道에 떨어지는 과보를 받고 나아가 윤회의 고통을 벗어나지
못하는 것이다.

人 誰 不 欲 歸 山 修 道 리요마는
인 수 불 욕 귀 산 수 도

而 爲 不 進은 愛 欲 所 纏이니라
이 위 부 진 애 욕 소 전

然 而 不 歸 山 藪 修 心이나
연 이 불 귀 산 수 수 심

隨 自 身 力하야 不 捨 善 行이어다
수 자 신 력 불 사 선 행

自 樂을 能 捨하면 信 敬 如 聖이요
자 락 능 사 신 경 여 성

難 行을 能 行하면 尊 重 如 佛이니라
난 행 능 행 존 중 여 불

慳 貪 於 物은 是 魔 眷 屬이요
간 탐 어 물 시 마 권 속

慈 悲 布 施는 是 法 王 子니라
자 비 보 시 시 법 왕 자

사람이 누군들 산에 가서 도 닦기를 싫어하리오마는 애욕에 얽히어서 하지 못할 따름이다. 그렇지만 산속의 깊은 골에 가서 마음을 닦지 못하더라도 자신의 능력에 따라 선행을 버리지 말아야 한다.

내가 세속에서 즐겨야 할 낙을 버린다면 성인처럼 신뢰받고 공경받을 것이요, 행하기 어려운 일을 능히 해내면 부처님처럼 존경받을 수 있다. 재물만 아끼고 욕심부리는 사람은 수행을 방해하는 마군의 권속에 불과하고 자비로운 마음으로 보시하는 사람은 부처님이 되려는 보살이다.

강설 | 불교의 출가수행자를 입산수도入山修道하러 떠난 사람이라고 말하는 경우가 있다. 산에 들어간다는 것은 번거로운 세속을 피해 조용한 수행처를 찾는다는 뜻에서 하는 말이다. 부처님 생애를 여덟 장면으로 나누어 설명하는 팔상도에도 설산수도상雪山修道相이 있다. 산으로 들어가서 도를 닦는다는 것은 세속을 등진다는 의미와 함께 세속적 환경의 제도와 풍속을 초월, 순수한 자연인으로 돌아간다는 것을 뜻한다. 강물의 근원이 산에서 시작되는 것처럼 산은 사색과 명상의 근원지이다. 때문에 산은 수도자의 산실이 되며 동시에 사람의 정신을 맑혀주는 수행 공간이 되는 것이다. 또 산은 자연을 대표하는 상징성이 있다. 나무, 숲, 바위, 계곡 등 산이 가지고 있는 것은 자연 그대로의 모습이다. 만약 지구에 산이 없다면 지구의 가치가 없을 것이라는 말을 한 사람도 있다. 산은 언제나 아름다운 자연을 대표하는 것이다. 애욕에 빠져 입산수도를 못하는 경향

이 있지만 발심만 잘되면 세속에서도 도를 닦을 수 있다는 것을 넌지시 드러내 놓았다. 선행을 부지런히 닦고 욕락에 휩쓸리지 말며 남이 하기 어려운 일을 감당하면서 은혜를 베푸는 보시행을 닦아 보살의 삶을 살 수 있다는 것을 밝혀 놓았다.

주 | 布施보시는 산스크리트어 다나Dāna의 역어이다. 육바라밀의 하나로서 자비심으로 남에게 베풀어주는 은혜로운 행동을 말한다. 이에 물질적으로 은혜를 베푸는 재보시財布施와 참된 이치 곧 법을 알게 해주는 법보시法布施가 있으며 그리고 마음을 편안하게 하여 두려움을 없애주는 무외시無畏施가 있다.

法王子법왕자는 산스크리트어 쿠마 라바타Kuma-rabha-ta의 역어로서 동진童眞이라고도 하는데 보살을 뜻한다. 세간의 국왕에게 왕자가 있듯이 보살은 미래에 부처님이 될 자리에 있으므로 부처님을 법왕이라 하고 보살을 법왕자라 하는 것이다. 물론 일반적으로는 그냥 부처님의 제자라는 뜻에서 법왕자라는 말을 쓰기도 한다.

高嶽峨巖은 智人所居요
고 악 아 암 지 인 소 거

碧松深谷은 行者所捿니라
벽 송 심 곡 행 자 소 서

飢飧木果하야 慰其飢腸하고
기 손 목 과 위 기 기 장

渴飮流水하야 息其渴情이니라
갈 음 유 수 식 기 갈 정

喫甘愛養하여도 此身은 定壞요
끽 감 애 양 차 신 정 괴

着柔守護하여도 命必有終이니라
착 유 수 호 명 필 유 종

助響巖穴로 爲念佛堂하고
조 향 암 혈 위 염 불 당

哀鳴鴨鳥로 爲歡心友니라
애 명 압 조 위 환 심 우

拜膝이 如氷이라도 無戀火心하며
배 슬 여 빙 무 연 화 심

餓腸이 如切이라도 無求食念이니라
아 장 여 절 무 구 식 염

忽至百年이어늘 云何不學이며
홀 지 백 년　　　운 하 불 학

一生이 幾何관대 不修放逸고
일 생　　기 하　　　불 수 방 일

離心中愛를 是名沙門이요
이 심 중 애　　시 명 사 문

不戀世俗을 是名出家니라
불 연 세 속　　시 명 출 가

行者羅網은 狗被象皮요
행 자 라 망　　구 피 상 피

道人戀懷는 蝟入鼠宮이니라
도 인 연 회　　위 입 서 궁

높은 산, 바위 솟은 곳은 지혜 있는 사람이 살 곳이요, 그윽한 골짜기 푸른 소나무 있는 곳은 수행자가 깃들일 곳이다. 배고프면 나무 열매 따먹고 목이 마르면 흘러가는 물 마시어 갈증을 푼다.

좋은 음식 먹고 몸을 돌봐도 끝내 죽고 마는 몸, 비단으로 감싸줘도 이 목숨 길이 살지 못하는 것이니, 메아리 울려오는 바위 동굴로 염불하는 법당을 삼고 슬피 우는 새소리로 마음을 즐겁게 하는 벗을 삼을 것이니라. 절하는 무릎이 얼음처럼 차더라도 따뜻한 불 생각 말고 주린 창자가 끊어질 것 같더라도 밥 생각을 말 것이니, 백 년 세월 흘떡이니 안 배우고 어이하며 한평생이 얼마기에 닦지 않고 방일할까? 모든 애착 떠난 이를 사문이라 이름하고 세속을 연연하면 출가라고 할 수 없다. 수행자가 번뇌의 그물에 걸려 있는 것은 개가 코끼리 가죽을 뒤집어쓴 것이요, 도인이 연정을 품는 것은 고슴도치가 쥐 집에 들어가는 격이니라.

강설 | 처음 출가한 사람이 찾아가는 곳은 수행 환경이 좋은 곳이라야 한다. 수행 환경이 좋은 곳은 마음을 고요히 할 수 있는 곳이 우선이다. 주위가 시끄럽고 번잡하면 수행에 방해가 되어 자기의 내면을 응시할 수가 없다. 사색이나 명상을 하는 데도 고요한 곳이 좋다. 물론 선정을 닦는 데 있어서도 더 말할 나위가 없다. 산속의 깊은 골짜기나 바위 동굴은 바로 맑고 깨끗한 자연의 청정함이 있는 곳이다. 인간의 욕망이 난무하는 세속 경계와 완연히 다른 순수한 자연 공간으로 수행자가 되어 이런 곳에 사는 수행자를 지혜 있는 자로 본다는 말이다. 어떤 면에서 보면 자연으로 돌아가 사는 것은 사람 자체가 순수한 자연인이 되는 것을 뜻한다.

예로부터 물외한인物外閑人이라는 말이 있다. 번잡한 세속을 등지고 모든 것을 초월하여 한가롭게 지내는 은자를 이르는 말이다. 한가로운 여유를 풍기고 있는 말이지만 수행자는 자신에게 더욱 엄격한 자세로 세속 경계를 일단 벗어나야 하는 것이다.

불교의 출가 정신으로 수행 생활을 하는 것을 두타행頭陀行이라 한다. 두타란 산스크리트어 두타Dhuta를 음사한 말로 두수抖擻라고 의역하는데 번뇌의 티끌을 털어 없앤다는 뜻이다. 의 · 식 · 주에 신경 쓰지 않고 오로지 무욕의 청정한 마음으로 불도를 수행하는 것을 말한다.

주 | 行者행자는 수행자를 줄여 부르는 말로 산스크리트어 아카린 Acarin을 번역한 말이다. 불도를 수행하는 사람을 지칭하거나, 성지를 참배하러 돌아다니는 순례자를 행자라 하기도 한다. 또 출가를 결심하여 절에 와 아직 계를 받지 않은, 스님이 되기 이전에 후원에서 소임을 맡고 사는 사람을 행자라고도 한다.

雖有才智ㄴ나 居邑家者는
수 유 재 지 거 읍 가 자

諸佛이 是人에 生悲憂心하시고
제 불 시 인 생 비 우 심

設無道行이나 住山室者는
설 무 도 행 주 산 실 자

衆聖이 是人에 生歡喜心하나니라
중 성 시 인 생 환 희 심

雖有才學이나 無戒行者는
수 유 재 학 무 계 행 자

如寶所導而不起行이요
여 보 소 도 이 불 기 행

雖有勤行이나 無智慧者는
수 유 근 행 무 지 혜 자

欲往東方而向西行이니라
욕 왕 동 방 이 향 서 행

有智人의 所行은 蒸米作飯이요
유 지 인 소 행 증 미 작 반

無智人의 所行은 蒸沙作飯이니라
무 지 인 소 행 증 사 작 반

共知喫食而慰飢腸_{하되}
공 지 끽 식 이 위 기 장

不知學法而改癡心_{이니라}
부 지 학 법 이 개 치 심

行智具備_는 如車二輪_{이요}
행 지 구 비 여 거 이 륜

自利利他_는 如鳥兩翼_{이니라}
자 리 이 타 여 조 양 익

得粥祝願_{하되} 不解其意_{하면}
득 죽 축 원 불 해 기 의

亦不檀越_에 應羞恥乎_며
역 부 단 월 응 수 치 호

得食唱唄_{하되} 不達其趣_{하면}
득 식 창 패 부 달 기 취

亦不賢聖_에 應慚愧乎_아
역 불 현 성 응 참 괴 호

비록 지혜와 재주가 있으나 시끄러운 도시, 세속에 사는 사람은 부처님이
이 사람에 대해 슬퍼하는 마음을 내고 설사 제대로 도를 닦는 수행이 갖춰
지지 못하더라도 산에 사는 사람에게는 성인들이 이 사람에게 기뻐하는 마

음을 내느니라. 비록 재주와 학식이 있으나 계행이 없는 사람은 보배 있는 곳으로 인도하려 해도 일어나가지 않는 것과 같고 비록 부지런히 행하더라도 지혜가 없는 사람은 동쪽으로 가고자 하면서도 서쪽으로 가는 격이니라. 지혜 있는 사람이 하는 바는 쌀로 밥을 짓는 것이나 지혜 없는 사람이 하는 바는 모래를 쪄서 밥을 짓는 것과 같다. 누구나 배가 고프면 밥을 먹어 주린 창자를 채울 줄은 알지만 법을 배워 어리석은 마음을 고칠 줄은 모른다. 행과 지혜를 갖추는 것은 수레의 두 바퀴와 같고 나를 이롭게 하면서도 남을 이롭게 하는 것은 새의 두 날개와 같은 것이다. 죽을 얻고 축원을 하면서도 그 뜻을 알지 못하면 또한 단월(시주)에게 부끄럽지 않으며, 밥을 얻고 염불하되 그 취지를 통달하지 못하면 또한 성현에게 참회하고 부끄럽게 여겨야 하지 않겠는가?

강설   수행자는 자기 삶에 대한 본질적 의미를 추구하는 사람이다. 이것 때문에 세속적 환경을 벗어나 도심道心을 함양하고자 하는 것이다. 삶의 가치를 어떻게 볼 것인가에 대한 인생관의 선택이 있어야 한다. 출가 자체가 중요한 인생관의 선택에서 이루어지는 것이기 때문에 이 선택을 잘한 사람을 성인들이 반가워한다 하였다. 가장 지혜로운 일은 이 인생관을 잘 선택하는 것이라 할 수 있다.

어리석은 사람이 하는 짓은 모래를 쪄서 밥을 지으려는 것과 같다한 비유는 풍자적인 이야기이다. 어떤 일을 하고자 하는 의지가 일어나 실천이 행해질 때 반드시 지혜가 따라야 함도 강조해 놓았다. 수레의 바퀴가 양쪽에 달려 있어야 수레가 바로 갈 수 있듯이 지혜와 행이 함께 갖추어져야 하며 또 자리이타를 새의 두 날개와 같다하였다. 특히 대승의 수행은 독선적 자리에만 치중하는 것을 경계한다. 나와 남을 동시에 이롭게 하는 것이 완전한 덕행, 곧 완덕完德이 되는 것이다. 나와 남 사이에서 덕이 성립되는 것이기 때문이다.

주 | 檀越단월은 산스크리트어 다나파티Dāna-pati의 음역으로 단나檀那라 표기하기도 하며 보통 시주라 번역한다. 보시를 행하는 사람을 단월이라 한다.

得粥득죽, 得食득식 죽을 얻고 밥을 얻는다는 말은 수행자의 식사를 두고 한 말이다. 원래 조죽재반朝粥齋飯이라 하여 아침에 죽을 먹고 점심 때 밥을 먹는 승가의 식사 풍습을 일컫는 말이었다. 정오가 지나면 음식을 먹지 않아 오후불식午後不食이라는 말도 생겼다.

唱唄창패의 패는 산스크리트어 브하사Bha-sa의 음역으로 패익唄匿, 또는 범패梵唄라고도 한다. 뜻은 찬송, 찬탄이라는 뜻이다. 소리를 길게 뽑아서 고저장단의 운곡이 있는 가영歌詠을 말한다.

발심하여 수행하라
發心修行章

人惡尾蟲이 不辨淨穢인달하야
인 오 미 충 불 변 정 예

聖憎沙門이 不辨淨穢니라
성 증 사 문 불 변 정 예

棄世間喧하고 乘空天上은
기 세 간 훤 승 공 천 상

戒爲善梯니 是故로 破戒하고
계 위 선 제 시 고 파 계

爲他福田은 如折翼鳥가
위 타 복 전 여 절 익 조

負龜翔空이라
부 귀 상 공

自罪를 未脫하면 他罪를 不贖이니라
자 죄 미 탈 타 죄 불 속

然하니 豈無戒行하고 受他供給이리요
연 기 무 계 행 수 타 공 급

無行空身은 養無利益이요
무 행 공 신 양 무 이 익

無常浮命은 愛惜不保니라
무 상 부 명 애 석 불 보

사람이 더러운 벌레를 싫어하는 것은 깨끗하고 더러움을 가리지 못하기 때문이듯이 성인이 사문을 미워하는 것도 깨끗하고 더러움을 가리지 못하기 때문이다. 세간의 시끄러움을 버리고 허공을 타고 천상에 올라가는 데는 계戒가 좋은 사다리가 된다. 그렇기 때문에 계를 파하고 남의 복전이 되려는 것은 날개 꺾인 새가 거북이를 업고 공중을 날려는 것과 같다. 나의 죄를 벗어버리지 못하면 남의 죄를 사할 수가 없는 것이다. 그러니 어찌 계를 지켜 수행하지 않고 남의 공양 시주를 받으리오? 수행 없는 헛된 몸뚱이는 길러봐도 이익 없는 것이고 덧없는 뜬 목숨은 애착해 아껴도 보존할 수 없느니라.

강설│ 마음을 청정하게 하는 것이 수행의 요체이다. 제불보살이 좋아하는 사람은 마음이 깨끗한 사람이라 하였다. 마음이 청정치 못한 것은 육체적 관능에 사로잡히기 때문이며 이 육체적 관능을 극복하기 위하여 계를 지키는 것이다. 세속의 욕락이 결과적으로는 괴로움의 원인이 되는 것이라 하였다. 그리고 계는 선업을 성취하는 바탕이 된다. 악업을 지으면 복전이 되지 못한다. 선근善根이 심어지는 곳이 복전이 되는 것이다. 인과법因果法의 이치에서 볼 때 복이란 좋은 인연을 만나 좋은 과보를 누리는 것이라 할 수 있다. 복을 닦는 행을 복행福行이라 한다. 계행을 잘 지키는 것은 곧 복행이 되는 것이다. 또한 수행자로서의 자격은 계행을 갖추는 데서 얻어지는 것이다. 육체에 대한 애착도 수행자는 경계해야 한다. 수행자가 신체의 건강을 도모하는 것은 도업을 이루기 위해서라 했다. 밥을 먹는 것도 마찬가지이다. 초기불교의 수행법에 나오는 오정심관五停心觀에 부정관不淨觀이 있다. 육체에 대한 집착을 여의고 탐욕을 다스리기 위해서 몸을 깨끗하지 못한 더러운 것으로 본다는 말이다. 또 사념처四念處에도 같은 뜻의 관신부정觀身不淨이 있다. 중생의 몸도 모두 무상한 물건에 지나지 않는다.

주ㅣ 無常무상은 산스크리트어 아니탸Anitya를 번역한 말로 이 세상 모든 것이 생멸 변화하여 상주하는 현상이 없는 것을 말하는 것이다. 물질적 현상, 정신적 현상 등 일체 법이 덧없어서 어느 것도 실체가 없다. 생멸의 과정에 따라 진행되고 있는 것일 뿐이다. 무상에도 찰나무상刹那無常과 일기무상一期無常 또는 상속무상相續無常이 있다. 찰나 동안에 생生·주住·이異·멸滅하는 것과 한 기간 동안에 생·주·이·멸하는 것을 구분하여 말한 것이다.

望龍象德_{하야} 能忍長苦_{하고}
망 룡 상 덕   능 인 장 고

期獅子座_{하야} 永背欲樂_{이니라}
기 사 자 좌   영 배 욕 락

行者心淨_{하면} 諸天_이 共讚_{하고}
행 자 심 정   제 천   공 찬

道人_이 戀色_{하면} 善神_이 捨離_{하나니라}
도 인   연 색   선 신   사 리

四大忽散_{이라} 不保久住_니
사 대 홀 산   불 보 구 주

今日夕矣_라
금 일 석 의

頗行朝哉_{인저}
파 행 조 재

世樂_이 後苦_{어늘} 何貪着哉_며
세 락   후 고   하 탐 착 재

一忍_이 長樂_{이어늘} 何不修哉_{리요}
일 인   장 락   하 불 수 재

용상龍象의 덕을 바라면서 능히 긴 세월의 괴로움을 참고 살고, 사자의 자리를 기약하여 길이 욕락을 등지고 살아야 한다. 수행자의 마음이 깨끗하면 하늘이 함께 칭찬하고 도인이 색을 그리워하면 선신들이 버리고 떠나버린다. 사대四大로 이루어진 이 몸은 홀연히 흩어져 버리는 것이라 오래도록 머묾이 보장되지 않는 것, 오늘이 벌써 저녁인가 했더니 어느새 아침이 오는구나. 세상의 욕락이 죽은 뒤의 고통이거늘 어찌 탐착하며, 한 번 참는 것이 긴 즐거움이거늘 어찌 닦지 아니하리오.

강설┃ 수행자에게는 고행을 감당하는 인욕 정신이 있어야 한다. 부처님도 오백생을 인욕 선인으로 살았다는 이야기가 『금강경』에 나오는 것처럼 참지 못하면 수행이 되지 않는 것이다. 오로지 부처가 되기 위한 일념으로 관능적인 자극을 피하고 세상의 욕락을 버릴 때 수행자로서의 위신이 갖춰지게 된다. 또 수행자는 무상을 뛰어넘어 영원한 것을 찾는 자이다. 때문에 현재의 이 몸이 무상한 것인 줄 알아야 한다. 육신의 무상함과 함께 세월의 무상도 느낄 줄 알아야 한다.

옛날 인도의 수행자들은 계절이 바뀔 때마다 무상을 느끼고 수행을 했다 한다. 가령 여름이 가고 가을이 올 때 앞으로 남은 생애에 몇

번의 가을을 맞이할 수 있을 것인가를 생각했다는 말이다.

주| 龍象_{용상}이란 위엄과 덕을 갖춘 제일 높은 어른을 가리키는 말이다. 용과 코끼리가 각각 어족_{魚族}과 짐승의 왕이 되는 것처럼 최고의 높은 위치에서 정신적 지주가 되는 우두머리란 뜻에서 쓰는 말이다.

獅子座_{사자좌}는 부처님이 앉는 자리를 뜻하는 말이다. 산스크리트어 심하사나_{Siṃha-āsana}의 역어로 설법하는 법상에 앉는 것을 사자좌에 앉는다 말하기도 한다. 부처님은 천상천하에서 가장 높은 지위에 있는 분이므로 사자에 비유하여 그 앉는 자리를 사자좌라 하고 설법하는 음성을 사자후_{獅子吼}라 한다.

天_천, 하늘은 산스크리트어로 데바_{Deva}인데 제파_{提婆}라 음사해 쓰기도 하며 욕계, 색계, 무색계의 삼계에 28천이 있다 한다. 이곳은 모두 인간 세계보다 수승한 과보를 받는 곳이다. 때로는 진리와 정법을 수호하는 모든 신을 총칭하는 말로도 쓰인다.

善神_{선신}은 수행을 도와주는 역할을 하는 신이며 반대로 수행을 방해하는 악마를 마군_{魔軍}이라 한다.

道人貪_은 是行者羞恥_요
도 인 탐　시 행 자 수 치

出家富_는 是君子所笑_{니라}
출 가 부　시 군 자 소 소

遮言_이 不盡_{이어늘} 貪着不已_{하며}
자 언　부 진　탐 착 불 이

第二無盡_{이어늘} 不斷愛着_{하며}
제 이 무 진　부 단 애 착

此事無限_{이어늘} 世事不捨_{하며}
차 사 무 한　세 사 불 사

彼謀無際_{어늘} 絶心不起_{로다}
피 모 무 제　절 심 불 기

今日不盡_{이어늘} 造惡日多_{하며}
금 일 부 진　조 악 일 다

明日無盡_{이어늘} 作善日少_{하며}
명 일 무 진　작 선 일 소

今年不盡_{이어늘} 無限煩惱_{하며}
금 년 부 진　무 한 번 뇌

來年無盡_{이어늘} 不進菩提_{로다}
내 년 무 진　부 진 보 리

時時移移_{하야} 速經日夜_{하며}
시 시 이 이 　 속 경 일 야

日日移移_{하야} 速經月晦_{하며}
일 일 이 이 　 속 경 월 회

月月移移_{하야} 忽來年至_{하며}
월 월 이 이 　 홀 래 년 지

年年移移_{하야} 暫到死門_{하나니}
연 년 이 이 　 잠 도 사 문

破車不行_{이요} 老人不修_라
파 거 불 행 　 노 인 불 수

臥生懈怠_{하고} 坐起亂識_{이니라}
와 생 해 태 　 좌 기 난 식

幾生不修_{어늘} 虛過日夜_{하며}
기 생 불 수 　 허 과 일 야

幾活空身_{이어늘} 一生不修_오
기 활 공 신 　 일 생 불 수

身必有終_{하리니} 後身_은 何乎_아
신 필 유 종 　 후 신 　 하 호

莫速急乎_며 莫速急乎_아
막 속 급 호 　 막 속 급 호

발심하여 수행하라
發心修行章

도 닦는 이가 탐심을 가지는 것은 수행자로서 수치스러운 일이요, 출가한 사람이 부를 누리는 것은 군자의 비웃음거리니라. 이러한 말은 이루 다할 수 없거늘 탐착하기를 그만두지 않으며, 다음 나중에 하겠다 미루는 것이 다할 때가 없거늘 애착을 끊지 아니하며, 해야 할 것 한정이 없거늘 세상일을 버리지 않으며, 해야 할 것 쉴 틈이 없거늘 끊으려는 마음을 일으키지 아니한다. 오늘, 오늘 하는 것이 다함이 없거늘 악을 짓는 것은 날로 많이 하고, 내일, 내일 하는 것이 다함이 없거늘 선을 행하는 것은 날로 적으며, 올해만, 올해만 하는 것이 다함이 없거늘 한없는 번뇌에 시달리고, 내년에, 내년에 하는 것이 다함이 없거늘 보리에 나아가지 아니하도다.

시간, 시간이 옮겨가 밤낮이 빨리 지나가며, 하루, 하루가 옮겨가 보름과 그믐이 빨리 지나가며, 다달이 옮겨가 홀연히 해가 가고 해가 오며, 한 해, 두 해 옮겨가서 잠깐 사이에 죽음의 문에 이른다. 부서진 수레는 가지 못하는 법이요, 늙어지면 수행하기 어려운데 누워서 게으름을 내고 앉아서 어지러운 생각만 일으키고 있구나.

얼마나 살 것이기에 닦지 아니하고 헛되이 밤낮을 보내며, 헛된 몸이 얼마나 살아 있을 것이라고 일생 동안 수행 한 번 아니하는가? 몸은 반드시 죽고 마는 것이니 죽은 다음에 받는 몸은 어찌할 것인가? 급하지 아니한가, 생각할수록 급하지 아니한가?

강설 | 수행의 본질을 밝혀 주면서 수행자가 부富를 누릴 수 없다는 것을 강조한 대목이다. 출가한 사람이 부를 누리는 건 군자의 비웃음거리라는 말은 매우 냉소적이다. 또 수행은 미루는 마음으로 해서는 안 된다는, 제때 실천할 것을 강조했다. '오늘 할 수 있는 일을 내일로 미루지 말라'는 격언이 있고 '시간과 세월은 사람을 기다리지 않는다'는 말도 있다. 어느 명상가의 책에는 '내가 헛되이 보낸 오늘 하루가 어제 죽은 사람에게는 그렇게도 살고 싶었던 내일이었다'는 말이 있다. 사람들은 제때에 하지 않은 일을 나중에 가서 후회하는 수가 많다. 그때 내가 왜 열심히 하지 않고 게으름을 피웠던가 하는 후회는 게으른 사람들의 상투적인 후회이다. 좋은 일은 빨리할수록 좋은 것이다. '후회는 언제 해도 늦다'는 말이 있지 않은가? 시간의 진행을 따라 통과되는 것이 무상의 소식이고 그것은 결국 업에 묶이는 윤회의 사슬이 되는 것이다.

예로부터 전해오는 게송이 있다.

삼계유여급정륜 三界猶如汲井輪

백천만겁역미진 百千萬劫歷微塵

차신불향금생도 此身不向今生度

갱대하생도차신 更待何生度此身

삼계가 마치 물 긷는 두레박과 같고

백천만겁을 미진 수만큼 지내왔으니

이 몸을 금생을 향해 제도하지 않으면

다시 어느 생에 이 몸을 제도하리오

중생이 윤회하는 욕계, 색계, 무색계를 오르내리는 것이 옛날 우물에서 물을 길을 때 사용하던 두레박과 같이 백천만겁을 지내오면서 가는 먼지의 숫자만큼 많은 생을 받아 윤회해왔다는 것이다. 그러니 이렇게 오래 윤회 속에 살아온 이 몸을 금생에 제도하겠다는 원력을 가지라는 법문이다.

주 | 君子군자는 학식과 덕행을 갖추고 인품이 높은 사람을 지칭하는 말이다. 유교에서 도덕적 모범이 되는 사람을 군자라 불러왔으며 공자의 『논어』에 군자라는 말이 자주 나온다. 또 '군자대로행君子大路行'이라는 말이 있는데 이를 직역하면 군자는 골목길 따위의 비좁은 길을 다니지 않고 큰길을 다닌다는 뜻인데, 상징적 의미는 덕이 있는 사람은 사소한 이익에 이끌려 부정한 짓이나 무모한 짓을 하지 않고 언제나 옳은 길을 떳떳하게 간다는 뜻이다.

주인공아, 들어라

主人公아 聽我言하라
주인공 청아언

幾人이 得道空門裏어늘
기인 득도공문리

汝何長輪苦趣中고
여하장륜고취중

汝自無始已來로 至于今生히
여자무시이래 지우금생

背覺合塵하고 墮落愚癡하야
배각합진 타락우치

恒造衆惡而入三途之苦輪하며
항조중악이입삼도지고륜

不修諸善而沈四生之業海로다
불수제선이침사생지업해

身隨六賊故로
신수육적고

或墮惡趣則極辛極苦하고
혹타악취즉극신극고

心背一乘故로
심배일승고

주인공아, 들어라
自警文

或生人道則佛前佛後로다
혹 생 인 도 즉 불 전 불 후

今亦幸得人身이나
금 역 행 득 인 신

正是佛後末世니 嗚呼痛哉라
정 시 불 후 말 세 오 호 통 재

是誰過歟아 雖然이나 汝能反省하야
시 수 과 여 수 연 여 능 반 성

割愛出家하며 受持應器하고
할 애 출 가 수 지 응 기

着大法服하야 履出塵之逕路하고
착 대 법 복 이 출 진 지 경 로

學無漏之妙法하면
학 무 루 지 묘 법

如龍得水요 似虎靠山이라
여 룡 득 수 사 호 고 산

其殊妙之理는 不可勝言이니라
기 수 묘 지 리 불 가 승 언

주인공아, 내 말을 들으라. 얼마나 많은 사람이 공문 속에서 도를 얻었거늘, 그대는 어찌하여 오래도록 중생의 괴로운 세계에서 헤매고 있는가? 그대가 비롯함 없는 옛적부터 금생에 이르기까지 깨달음의 참된 성품을 등지고 번뇌의 티끌 경계에 몸을 맡겨 어리석음에 떨어져 항상 온갖 악업을 지어 삼악도의 괴로운 윤회에 시달리면서, 선업을 닦지 못하여 네 가지로 태어나는 업의 바다에 빠져 있구나! 몸이 여섯 도적을 따르는 까닭에 나쁜 세계에 떨어지면 모진 고통이 극심하고, 마음이 일승을 등진 까닭에 사람으로 태어나더라도 부처님 나기 전이거나 부처님 가신 뒤가 되었도다. 이제 다행히 사람의 몸을 얻었지만 부처님 가신 뒤의 말법 세상이니 슬프고 애닯도다. 이것이 누구의 허물이겠는가? 그러나 이제라도 그대가 능히 반성하여 애욕을 버리고 출가하며, 응량기를 받아 지니고 법복을 입고, 티끌세상 벗어나는 길을 밟아 번뇌가 없는 미묘한 법을 배운다면, 용이 물을 얻은 것과 같을 것이고 호랑이가 산을 의지해 있는 것과 같을 것이니, 그 수승하고 미묘한 도리는 이루 다 말할 수 없느니라.

강설 | 「자경문」은 스스로 채찍질하는 글이다. '주인공아!' 하고 불러놓고 자기 스스로를 호되게 꾸짖으며 타이르는 말이다. 부처가 될 수 있는 길을 등지고 왜 중생의 끝없는 생사 고통을 받고 있느냐

주인공아, 들어라
自警文

고 자탄하는 내용이 서술되어 있다. 배각합진背覺合塵이란 말은 본래의 자기 불성을 등지고 번뇌를 일으키는 티끌 경계 곧 눈에 보이는 대상인 물질 경계(色)와 귀에 들리는 대상인 소리(聲), 코를 통해 느끼는 냄새(香), 혀에 느껴지는 맛(味), 피부에 와 닿는 느낌인 촉감(觸), 기억의 대상인 일체 생각(法)을 티끌 경계라 한다. 이들 객관 경계를 쫓아가는 습성 때문에 부처인 자기의 참마음을 잃어버렸다는 것이다. 눈, 귀, 코, 혀, 몸, 뜻의 육근六根이 앞의 육진 경계를 끌어들이는 것이 남의 물건을 훔쳐오는 것과 같다 하여 몸이 여섯 도적을 따른다 하였다.

수행을 시작하는 사람들에게 가장 먼저 요구되는 것은 이 세상을 인과법의 이치로 볼 줄 아는 안목을 틔우는 일이다. 인과의 이치를 바로 알고 사람의 행위에 대한 가치판단을 도덕률에 맞추어 옳게 할 수 있어야 한다는 것이다. 선악을 옳게 판단하지 못하는 도덕이 마비된 사람에게는 수행이 나올 수가 없는 것이다. 그릇된 행동에 대한 반성이 일어나야 수행이 시작될 수 있다.

『대승기신론』에서는 깨달음을 범부각凡夫覺으로부터 설명하는 말이 있다. 범부각이란 인과의 이치를 알고 그릇된 행위에 대한 깊은 반성을 일으키는 것을 말한다. 도를 깨친 깨달음이 아니지만 도덕적 판단을 옳게 하는 범부의 의식 전환이 일어나 맹렬한 자기반성이 일어날 때 범부로서 깨친 생각이 되므로 범부의 깨달음이라 하는 것이다.

주│ 主人公주인공이란 자기의 마음 자체를 가리키는 말이다. 곧 자기 자성이다. 일반적으로 소설이나 영화의 중심 역할을 하는 사람을 지칭하는 말이지만 불교에서는 망념에 지배되지 않는 본래 자기를 두고 주인공이라 한다.

중국의 서암선사는 평소에 스스로에게 '주인공아' 하고 불러 놓고 다음에 속지 말라는 말을 해가면서 자기의 공부를 했다는 이야기가 있다.

空門공문은 대승불교의 수행문을 이르는 말이다. 불교의 핵심 사상 가운데 공의 이치를 설한 공관을 통해 반야의 지혜를 얻을 수 있다는 데서 유래한 것이다. 마치 불교를 불문이라 하듯이 공문이라는 말로 불교를 대변하는 것이다.

三途삼도는 육도 가운데 악업의 과보로 태어나는 지옥, 아귀, 축생의 세 곳을 삼악도三惡道라 하며 줄여서 삼도(三道 혹은 三途)라 한다. 때로는 삼악취三惡趣라 하기도 한다.

四生사생은 중생이 태어나는 형태를 네 가지로 구분하여 말하는 것으로 태생胎生·난생卵生·습생濕生·화생化生을 말한다. 태생은 태에서 태어나는 것으로 생기원인生起原因이 정情으로 본다. 곧 애욕이 얽힌 과보이며, 난생은 알로 나는 조류나 어류로 상想이 생기원인이다. 어지러운 생각으로 얽힌 과보며, 습생은 습한 기운에서 태어나는 종류들로 합合으로 태어난다. 화생은 의탁한 데 없이 홀연히 생겨나는 경우로 이것을 버리고 저기에 태어나는 리離로 태어난다. 천

상·지옥·귀신의 류類를 화생으로 본다.

六賊육적은 안眼·이耳·비鼻·설舌·신身·의意 육근六根이 색色·성聲·향香·미味·촉觸·법法 육진六塵을 대하여 안식眼識·이식耳識·비식鼻識·설식舌識·신식身識·의식意識의 육식六識을 일으키게 하여 번뇌를 만들어 자성 공덕을 빼앗아 버리므로 이를 도적에 비유해 육적이라 한다.

一乘일승은 불승佛乘이라고도 한다. 승이란 탈것을 말하는 것으로 수레나 배를 가리키는 말이다. 곧 사람을 깨달음의 경계에 운반하여 준다는 뜻이며, 부처가 되는 것이 유일무이한 불교 최고의 구경究竟목적이므로 이를 일승이라 한다. 부처님이 방편으로 설한의 교법에는 小乘, 大乘, 三乘(성문, 연각, 보살), 五乘(성문, 연각, 보살, 사람, 하늘)의 구별이 있으나, 일체중생이 모두 성불한다는 견지에서 보면 그 길은 절대 진실하고 하나뿐이라는 뜻에서 하는 말이다. 『법화경』에서 '오직 하나의 사실뿐이요 둘도 없고 또한 셋도 없다[唯此一事實 無二亦無三]' 하였다.

末世말세는 말법末法과 비슷한 뜻으로 중생의 근기가 약해져 정법이 잘 행해지지 않는 시대를 말하는 것이다. 부처님 당시부터 법이 쇠퇴해가는 과정을 시기적으로 나눠 정법正法시대 오백 년, 상법像法시대 천 년, 말법시대 만 년으로 구분하는 설이 있다.

無漏무루는 유루有漏의 반대말로 산스크리트어 아나스라바Anāsravā를 번역한 말이다. 루漏는 물이 새는 것을 뜻하는 글자로 객관 대상에 대하여 끊임없이 육근에서 허물이 흘러나온다는 것이다. 곧 이는 번뇌를 뜻하는 말이다. 『법화경』에는 번뇌가 없는 수승한 법이란 뜻으로 무루묘법을 설하여 무량 중생을 제도한다는 말이 있다〔說無漏妙法 度無量衆生〕.

人有古今이언정 法無遐邇하며
인 유 고 금 　 　 법 무 하 이

人有愚智언정 道無盛衰하나니
인 유 우 지 　 　 도 무 성 쇠

雖在佛時나 不順佛敎則何益이며
수 재 불 시 　 불 순 불 교 즉 하 익

縱値末世나 奉行佛敎則何傷이리요
종 치 말 세 　 봉 행 불 교 즉 하 상

故로 世尊이 云하사대
고 　 세 존 　 운

我如良醫하야 知病設藥하노니
아 여 양 의 　 　 지 병 설 약

服與不服은 非醫咎也며
복 여 불 복 　 비 의 구 야

又如善導하야 導人善道호대
우 여 선 도 　 　 도 인 선 도

聞而不行은 非導過也라
문 이 불 행 　 비 도 과 야

自利利人이 法皆具足하니
자 리 리 인 　 법 개 구 족

若我久住_{라도} 更無所益_{이라}
약 아 구 주   갱 무 소 익

自今而後_로
자 금 이 후

我諸弟子_가
아 제 제 자

展轉行之則如來法身_이
전 전 행 지 즉 여 래 법 신

常住而不滅也_{라 하시니}
상 주 이 불 멸 야

若知如是理則但恨自不修道_{언정}
약 지 여 시 리 즉 단 한 자 불 수 도

何患乎末世也_{리요}
하 환 호 말 세 야

사람에게는 예와 지금이 있을지언정 법에는 멀고 가까움이 없으며, 사람
에게는 어리석음과 지혜로움이 있을지언정 도에는 성하고 쇠함이 없나니,
비록 부처님 당시에 있었다 할지라도 부처님의 가르침을 따르지 아니하면
무슨 이익이 있으며, 아무리 말법 세상을 만났다 하더라도 부처님 교훈을
받들어 행한다면 무엇이 해로우리오.

주인공아, 들어라
自警文

그러므로 부처님께서 말씀하시기를, "나는 훌륭한 의사와 같아서 병에 따라 약을 주나니, 먹고 먹지 않는 것은 의사의 허물이 아니며, 나는 또 훌륭한 길잡이와 같아서 사람을 좋은 길로 인도하나니 듣고서 가지 아니하는 것은 인도하는 사람의 허물이 아니니라. 자기도 이롭게 하고 남도 이롭게 하는 법이 원래 다 갖추어져 있으니, 내가 오래 세상에 머물러 있다 할지라도 다시 더 이익될 것이 없느니라. 이제부터 나의 제자들이 이 법을 꾸준히 행해가면 부처님의 법신이 언제나 남아 없어지지 않으리라" 하시었다.

만일 이러한 이치를 알면 다만 스스로 도를 닦지 아니함을 한탄할지언정 어찌 말세에 태어난 것을 근심하랴.

강설 │ 진리는 동서고금에 차별이 없음을 강조해 놓았다. 부처님이 깨달으신 법은 그 법이 본래 있던 법이며 부처님에 의해서 만들어진 것은 아니다. 또 이 법이 시간적으로나 공간적으로 제한되는 것은 아니다. 어느 때는 있고 어느 때는 없거나 여기는 있는데 저기는 없는 수가 있을 수 없다는 것이다. 다만 사람이 법을 알고자 하는 마음을 가지느냐 않느냐의 문제, 다시 말해 수행의 의지가 있느냐 없느냐가 문제라는 말이다. 병든 환자가 의사의 처방에 따라 약을 먹어야 하는데 약을 먹지 않거나 길을 모르는 사람이 안내해주는 사람을 따르지 않는다면 허물이 누구에게 있느냐고 물었다.

부처님의 유훈 가운데 '법을 의지하고 사람을 의지하지 말라' 는 말이 있다. 『열반경』에서 설한 이 말은 법을 보고 수행해야 한다는 것을 강조한 말이다. 『아함경』에서도 '부처님은 법을 보는 자는 나를 보는 것이다' 하였다. 아무리 말법시대라 하여도 법 자체가 없어지는 것은 아니니 법을 의지해 부지런히 수행하라는 당부의 말씀이다.

주┃ 法身법신은 부처님이 깨달은 진리 그 자체를 의인화하여 부르는 말이다. 산스크리트어 다르마카야Dharma-ka-ya의 번역으로 삼신三身의 하나이다. 진리와 일치된 부처님의 참된 법의 몸(法身)으로서 빛깔도 형상도 없는 부처님 본체이다. 인간의 몸으로 태어나 인간으로서 활동한 석가모니는 화신化身의 부처님이며, 이 화신의 본체로서 시방법계에 상주常住하여 삼세三世를 통해서 항상 법을 설하고 계시는 이불理佛을 말한다.

伏望_{하노니} 汝須興決烈之志_{하며}
복 망　　여 수 흥 결 렬 지 지

開特達之懷_{하고}
개 특 달 지 회

盡捨諸緣_{하고} 除去顚倒_{하며}
진 사 제 연　　제 거 전 도

眞實爲生死大事_{하야}
진 실 위 생 사 대 사

於祖師公案上_에 宜善參究_{하야}
어 조 사 공 안 상　　의 선 참 구

以大悟_로 爲則_{하고}
이 대 오　　위 칙

切莫自輕而退屈_{이어다}
절 막 자 경 이 퇴 굴

惟斯末運_에 去聖時遙_{하야}
유 사 말 운　　거 성 시 요

魔强法弱_{하고} 人多邪侈_{하야}
마 강 법 약　　인 다 사 치

成人者少_{하야} 敗人者多_{하고}
성 인 자 소　　패 인 자 다

智慧者寡하고　愚癡者衆하야
지　혜　자　과　　우　치　자　중

自不修道하고　亦惱他人하나니
자　불　수　도　　역　뇌　타　인

凡有障道之緣은　言之不盡이라
범　유　장　도　지　연　　언　지　부　진

恐汝錯路故로　我以管見으로
공　여　착　로　고　　아　이　관　견

撰成十門하야　令汝警策하노니
찬　성　십　문　　영　여　경　책

汝須信持하야　無一可違를
여　수　신　지　　무　일　가　위

至禱至禱하노라
지　도　지　도

頌曰
송　왈

愚心不學增憍慢이요
우　심　불　학　증　교　만

癡意無修長我人이로다
치　의　무　수　장　아　인

주인공아, 들어라
自警文

空腹高心如餓虎요
공 복 고 심 여 아 호

無知放逸似顚猿이로다
무 지 방 일 사 전 원

邪言魔語肯受聽하고
사 언 마 어 긍 수 청

聖敎賢章故不聞이로다
성 교 현 장 고 불 문

善道無因誰汝度리요
선 도 무 인 수 여 도

長淪惡趣苦纏身이니라
장 륜 악 취 고 전 신

부디 바라노니, 그대는 모름지기 결단하는 맹렬한 뜻을 일으켜 확 트인 마음을 열어 속된 인연을 다 버리고 뒤바뀐 소견을 제거할 것이며, 진실로 나고 죽는 큰일을 해결하기 위해서 조사의 공안 위에서 잘 참구해서 크게 깨치는 것으로써 법칙(목표)을 삼고, 부디 스스로 가벼이 여겨 물러서지 말아야 한다.

말법의 시대가 되어 성인이 가신 지는 오래되고 마魔는 강해지고 법法은 약해지고, 사람들이 간사하고 사치한 이가 많아서 수행을 이루는 자는 적고 실패하는 이가 많으며, 지혜로운 이는 적고 어리석은 이가 많아서 스스로 도는 닦지 않고 남을 괴롭히나니, 무릇 도를 닦지 못하게 하는 인연은 이루 말할 수 없느니라. 그대가 길을 잘못 들까 염려하여 내 좁은 소견으로 열 가지 문을 지어 경책하노니, 그대는 모름지기 믿고 지녀서 하나도 어기지 말기를 지극히 빌고 지극히 비노라.

게송으로 말하노라.

어리석은 마음으로 배우지 않아 교만만 늘고
어리석은 생각으로 닦지 않아 서로 잘난체만 하네.
주린 배에 뽐내는 마음은 굶주린 호랑이 같고
아는 것 없이 까부는 건 원숭이 같네.
간사한 말, 마군의 말은 곧잘 들으면서
성인의 가르침과 어진 이의 말씀은 짐짓 듣지 않네.
선도에 갈 인연 없으면 누가 그대 제도해주랴.
악도에 길이 빠져 온갖 고통 몸을 얽으리라.

강설 | 내가 내게 간절히 바라는 바는 보통 사람들과 다른 과감하고 열렬한 뜻을 세워 깨달음을 목표로 수행자로서의 인생 설계를 잘하는 것이라고 말하고 있다. 말법의 폐단을 의식하지 말고 오로지 한길로 수행에 전념하면 모든 장애를 극복할 수 있다는 것이다. 사람이 가지고 있는 정신적 의지에 따라 현실의 어려운 환경을 넘어설 수 있는 힘이 나오는 것이기 때문에 할 수 있다는 자신감 하나로 곧장 수도의 의지를 극대화해 나갈 때 도는 이루어진다고 스스로를 격려해 가라는 뜻이다.

「자경문」은 물론 주인공을 불러놓고 자기에게 경책하는 말이면서도 동시에 모든 사람에게 도를 구하기를 권하는 이타원력이 내포된 글이다. '열심히 배우고 닦아서 도를 이루라.' 어리석은 생각으로 진리에 미혹하고 살면 주린 호랑이나 쓸데없이 나부대는 원숭이 신세를 면치 못한다는 것, 수행자의 기본 지침이 될 수 있는 열 가지 문[十門]을 지어 경책을 하니 어기지 말고 잘 따르기를 당부해놓았다.

주 | 公案공안은 간화선을 수행하는 선종에서 써온 용어로 관官에서 지켜야 하는 나라의 법령을 뜻하는 공부안독公府案牘의 줄인 말이다. 고칙공안古則公案 혹은 그냥 고칙古則이라 하며, 보통 화두話頭라고도 한다. 간화선의 실천 근거가 되는 것으로 부처님이나 역대 조사들이 제시한 어구나 행동, 제자들과 나눈 대화 등 깨달음의 계기

가 된 것들을 참선 수행의 모범이 되는 법칙으로 삼아 이를 참구하는 것이다. 참구함에 있어서 하나의 의심이 되므로 이를 의심덩어리라는 뜻에서 의단疑團이라고도 한다.

魔마는 원래 산스크리트어 마라Mara를 음사하여 마라魔羅라고 표기한 것을 줄여 마라 하고 이 마가 무리를 지어 큰 세력을 이루고 있는 것을 군대에 비유해 마군魔軍이라 부른다. 뜻을 번역해 말하면 죽이는 자라고 해서 살자殺者라고 하기도 하며, 목숨을 빼앗는다고 하여 탈명奪命, 또는 장애障碍라고 한다. 원래는 磨마자를 쓰다가 양나라 무제 때부터 수행을 방해하고 선근을 파괴하고 공덕을 무너뜨리기 때문에 魔마자를 쓰기 시작하였다 한다.

其一은 軟衣美食을 切莫受用이어다
기 일 연 의 미 식 절 막 수 용

自從耕種으로 至于口身히
자 종 경 종 지 우 구 신

非徒人牛의 功力多重이라
비 도 인 우 공 력 다 중

亦乃傍生의 損害無窮이어늘
역 내 방 생 손 해 무 궁

勞彼功而利我라도
노 피 공 이 리 아

尙不然也온 況殺他命而活己를
상 불 연 야 황 살 타 명 이 활 기

奚可忍乎아
해 가 인 호

農夫도 每有飢寒之苦하고
농 부 매 유 기 한 지 고

織女도 連無遮身之衣온
직 녀 연 무 차 신 지 의

況我長遊手어니
황 아 장 유 수

飢寒을 何厭心이리요
기 한 하 염 심

軟衣美食은 當恩重而損道오
연 의 미 식 당 은 중 이 손 도

破衲蔬食은 必施輕而積陰이라
파 납 소 식 필 시 경 이 적 음

今生에 未明心하면 滴水도 也難消니라
금 생 미 명 심 적 수 야 난 소

頌曰
송 왈

菜根木果慰飢腸하고
채 근 목 과 위 기 장

松落草衣遮色身이어다
송 락 초 의 차 색 신

野鶴青雲爲伴侶하고
야 학 청 운 위 반 려

高岑幽谷度殘年이어다
고 잠 유 곡 도 잔 년

주인공아, 들어라
自警文

하나, 부드러운 옷과 맛있는 음식을 받아쓰지 말라.

밭 갈고 씨 뿌리는 것에서부터 먹고 입는 데 이르기까지 한갓 사람과 소의 공력이 많고 지중할 뿐 아니라 또한 벌레들이 죽고 상한 것도 그 수가 한 량없다. 다른 이를 수고시켜 내 몸을 이롭게 하는 것도 오히려 못할 것인데, 하물며 남의 생명을 죽여 내 몸 살리는 일을 어찌 차마 할 것인가? 농부도 항상 굶주리는 고통이 있고, 베 짜는 아낙네도 늘 몸 가릴 옷이 없는데 하물며 나는 항상 손을 놀려 뒀으니 어찌 춥고 배고픔을 싫어하랴.

부드러운 옷과 맛난 음식은 은혜만 무겁고 도에는 손해가 되지만, 떨어진 옷과 나물밥은 반드시 시주의 은혜를 가볍게 하여 음덕을 쌓느니라. 금생에 마음을 밝히지 못하면 한 방울의 물도 능히 소화시키기 어려우니라.

게송으로 말하노라.

나물 뿌리 나무 열매로 배를 채우고

송락과 풀잎으로 몸을 가리어

들 학과 푸른 구름 벗을 삼아서

높은 산 깊은 골에 남은 생애 보내리라.

도를 구하는 사람은 먼저 검소한 생활 습관에 길들어져야 한다. 음식과 의복에 사치하는 마음이 있어서는 안 된다. 좋은 음식은 식탐을 조장하여 수행 정신을 흐리게 하는 경우가 많다. 기본적인 의식衣食에서부터 검약을 하여 육체의 욕구를 절제하는 것이 수행자의 바른 자세다. 예로부터 '춥고 배고플 때 도심이 잘 일어난다〔飢寒에 發道心〕'는 말이 전해져 왔다.

반면에 『사십이장경』에서는 호세학도난豪勢學道難이라 하여 부귀 영예를 누리는 사람들은 도를 배우기가 어렵다 하였다. 안빈낙도安貧樂道는 동양사상의 근간이라 할 수 있는 유불선儒佛仙에서 공통적으로 숭상해온 정신이었다. 안빈낙도란 가난하고 궁하면서도 절개를 지키며 편안한 마음으로 도를 즐긴다는 뜻이다.

불교에서는 수행자들에게 시주의 은혜를 무겁게 알라는 엄한 경고가 있다. 마음을 밝히지 못하면 물 한 방울도 소화하기 어렵다 하지 않았는가? 도를 이루지 못하면 결국 시은을 질 자격이 없다는 말이다. 시주의 은혜를 무겁게 여기라는 말에 '쌀 한 톨의 무게가 일곱 근이 나간다〔減割之重 一米七斤〕' 하였다.

주 傍生방생은 축생畜生을 뜻하는 말이다. 공중·땅·물에 사는 새, 짐승, 벌레, 물고기 따위를 모두 방생이라 한다. 원래는 태胎가 옆으로 나있다는 뜻에서 旁生방생이라 하고 업의 과보로 악도에 태어남이 되어 인천人天의 정도正道가 아니므로 傍生이라 한다.

松落송락은 노송에 붙어사는 겨우살이 식물로 실오라기 같은 것이 늘어져 있다.

其二는 自財를 不悋하고
기 이　자 재　불 린

他物을　莫求어다
타 물　　막 구

三途苦上에 貪業이 在初요
삼 도 고 상　탐 업　재 초

六度門中에 行檀이 居首니라
육 도 문 중　행 단　거 수

慳貪은 能防善道요
간 탐　능 방 선 도

慈施는 必禦惡徑이니라
자 시　필 어 악 경

如有貧人이 來求乞이어든
여 유 빈 인　내 구 걸

雖在窮乏이라도 無悋惜이니라
수 재 궁 핍　　무 린 석

來無一物來오 去亦空手去라
내 무 일 물 래　거 역 공 수 거

自財도 無戀志어던
자 재　무 연 지

他物에 有何心이리요
타 물 유 하 심

萬般將不去요 唯有業隨身이라
만 반 장 불 거 유 유 업 수 신

三日修心은 千載寶요
삼 일 수 심 천 재 보

百年貪物은 一朝塵이니라
백 년 탐 물 일 조 진

頌曰
송 왈

三途苦本因何起오
삼 도 고 본 인 하 기

只是多生貪愛情이로다
지 시 다 생 탐 애 정

我佛衣盂生理足커늘
아 불 의 우 생 리 족

汝何蓄積長無明고
여 하 축 적 장 무 명

109

둘, 자기의 재물을 아끼지 말고 남의 물건을 탐내지 말라.

삼도(지옥·아귀·축생)의 괴로움을 가져오는 데는 탐심이 첫째요, 육도(보시·
지계·인욕·정진·선정·지혜)의 수행문 가운데는 보시가 으뜸이 되느니라. 아끼
고 탐하는 마음은 착한 길을 막고 자비로 보시하는 행이 반드시 악한 길을
막느니라.

만일 가난한 사람이 와서 구걸하거든 비록 넉넉지 못하더라도 아끼지 말
라. 올 때도 한 물건 가져온 것 없으며, 갈 때도 또한 빈손이니라. 자기 재
물에도 생각이 없거늘 남의 물건에 무슨 욕심을 부리리오. 이 몸이 죽을
때 아무것도 가져가지 못하고 오직 지은 업만 나를 따를 뿐이니라. 사흘
동안 닦은 마음은 천 년의 보배가 되고 백 년 동안 탐내어 쌓은 물건 하루
아침 티끌이 되고 마느니라.

게송으로 말하노라.

지옥, 아귀, 축생에서 고통 받는 근본 원인이 무엇인가?
다만 여러 생을 살아오면서 욕심부리고 애욕에 물들었기 때문이네.
우리 부처님의 가사와 바리,
이것이면 족할 일을 그대 무엇하러 쌓고 모아 무명 기르는가?

강설┃ 수행자가 극복해야 할 일은 우선 재물에 대한 욕심으로부터 벗어나는 것이다. 물질에 대한 욕심을 가지고는 수도에 임할 수 없다. 고도의 정신세계를 열어가는 것이 수행이므로 재물에 대한 욕심은 바로 이를 방해하는 것이다. 반대로 자기가 가진 것을 남에게 베풀어주며 은혜로써 사람을 감화시켜야 한다. 삼독三毒 가운데 탐심이 먼저 있듯이 일체 번뇌를 유발하는 제일 원인이 탐심이다. 예로부터 인생을 빈손으로 왔다가 빈손으로 가는 것이라는 말은 속담처럼 전해져온 말이다. 오직 지은 업만 따라간다고 했는데 『법구경』에 말하기를 '가령 백 천겁을 지나더라도 지은 바 업은 없어지지 않는다. 인연이 만나질 때에 과보를 다시 받는다[假使百千劫 因緣會遇時 果報還自受]'하였다. 잠깐 동안 닦은 수행의 가치는 말로 표현할 수 없는 무가보無價寶의 가치이다. 그래서 수행이 바로 영원한 보배라는 뜻에서 천년의 보배라 하였다.

주┃ 六度육도는 육바라밀을 말한다. 생사의 고해를 건너 열반涅槃의 피안에 이르는 여섯 가지 방편을 말한다. 보시布施, 지계持戒, 인욕忍辱, 정진精進, 선정禪定, 지혜智慧는 대승불교에서 보살행의 실천 요목要目으로 삼고 있다.

行檀행단은 보시를 행하는 것을 말한다. 단은 단나檀那의 줄인 말로 산스크리트어 다나Dāna를 음사한 말이다.

衣盂의우는 가사와 바리를 가리킨다. 가사(袈裟, Kāṣāya)는 출가수행자인 비구가 입는 법의法衣로 안타회安陀會, 울다라승鬱多羅僧, 승가리僧伽梨의 세 종류가 있는데 이를 삼의三衣라 한다. 수행자가 탐심을 여의기 위해서 입는다 하며, 이진복離塵服, 무구의無垢衣, 공덕의功德衣, 복전의福田衣, 연화복蓮華服, 분소의糞掃衣 등 여러 가지 이름이 있다.

바리는 바루라고 부르기도 하는데 발다라鉢多羅라 표기하기도 하며 번역하여 응량기應量器, 응기應器라 쓰기도 한다. 비구의 밥그릇인데 우리나라 스님들이 사용하는 것은 네 쪽 혹 다섯 쪽으로 되어 있다. 바릿대라고 부르기도 한다.

其三는 口無多言하고 身不輕動이어다
기 삼 구 무 다 언 신 불 경 동

身不輕動則息亂成定이요
신 불 경 동 즉 식 란 성 정

口無多言則轉愚成慧니라
구 무 다 언 즉 전 우 성 혜

實相은 離言이요 眞理는 非動이라
실 상 이 언 진 리 비 동

口是禍門이니 必加嚴守하고
구 시 화 문 필 가 엄 수

身乃災本이니 不應輕動이니라
신 내 재 본 불 응 경 동

數飛之鳥는 忽有羅網之殃이요
삭 비 지 조 홀 유 라 망 지 앙

輕步之獸는 非無傷箭之禍니라
경 보 지 수 비 무 상 전 지 화

故로 世尊이 住雪山호대
고 세 존 주 설 산

六年을 坐不動하시고 達磨居少林하사
육 년 좌 부 동 달 마 거 소 림

113

九歲_를 默無言_{하시니}
구 세 묵 무 언

後來參禪者_가 何不依古蹤_{이리요}
후 래 참 선 자 하 불 의 고 종

頌曰
송 왈

身心把定元無動_{하고}
신 심 파 정 원 무 동

默坐茅庵絶往來_{어다}
묵 좌 모 암 절 왕 래

寂寂寥寥無一事_{하고}
적 적 요 요 무 일 사

但看心佛自歸依_{어다}
단 간 심 불 자 귀 의

셋, 말을 많이 하지 말고 몸을 가벼이 움직이지 말라.

몸을 가벼이 움직이지 않으면 산란을 쉬어 선정을 이루게 되고 말이 적으면 어리석음을 돌려 지혜를 이루리라. 실상은 말을 여의었고, 참된 이치는 움직이지 않느니라. 입은 화의 문이니 반드시 엄격히 지켜야 하고, 몸은 재앙의 근본이니 가벼이 움직이지 말라. 자주 나는 새는 그물에 걸릴 위

험이 있고 가벼이 날뛰는 짐승은 화살 맞을 재앙이 없지 않느니라. 그러므로 세존께서 설산에서 6년 동안 앉아서 움직이지 아니하셨고, 달마조사도 소림굴에서 9년을 말없이 지내셨으니 후세에 참선하는 이가 어찌 옛 자취를 거울삼지 않겠는가?

게송으로 말하노라.

몸과 마음이 정에 들어 움직이지 말고,
묵묵히 띠로 엮은 암자에 앉아 왕래를 끊으라.
고요하고 고요해서 아무 일도 없이
마음의 부처 찾아 귀의할지어다.

강설│ 수행은 말과 행동이 다듬어지는 것으로써 수행됨이 나타나는 것이다. 나쁜 업을 짓지 않고 선업을 짓는 것이 수행이며 이러한 수행의 모습이 일상의 행동과 말에 나타난다. 이른바 신업과 구업은 밖으로 표시되는 업이라 해서 표업表業이라 부른다. 수행에 임하는 초심자에게 있어 이 표업에 수행자다운 면이 엿보여야 한다. 물론 수행이 밖으로 보이기 위해서 하는 것은 아니지만 계를 지키고 선정을 닦는 수행의 과정에서는 말과 행동을 삼가고 조심해서 밖으로 허물이 드러나지 않을 때 자신의 수행이 되어 가는 것이다. 또 수행에 임하는 사람은 말이나 행동이 함부로 나올 수 없다. 침묵 속에서 자신의 내면세계가 보이기 시작하는 것이다.

주자朱子의 은구재隱求齋라는 시에 다음과 같은 말이 나온다.

신창림영개 晨窓林影開

야침산천향 夜枕山泉響

은거부하구 隱居復何求

무언도심장 無言道心長

새벽이면 창가에 숲 그림자 아른거리고

밤이면 베개 밑에 샘물 소리 스며오네.

숨어 사는 판에 무얼 구하겠는가?

말없이 살다보면 도심이 자라겠지.

주ㅣ　達磨달마는 중국 선종의 초조이다. 보리달마다라菩提達磨多羅의 본 이름을 줄여서 달마라 불러왔다. 생몰연대는 정확하지 않고 이설이 있다. 495년에 죽었다는 설과 528년에 죽었다는 설이 있다. 부처님 당시로부터 법맥을 이은 조사 계보로는 28조이며 중국선종에서는 달마를 초조로 보았다. 출신지를 인도의 향지국, 파사국,

남천축국 등으로 표기한 문헌들이 있다. 반야다라般若多羅존자의 법을 이은 뒤 중국으로 건너와 양梁 무제武帝 때(일설 527년) 무제를 직접 만나 대담을 나누었다고 알려져 있다. 그 후 쑹산嵩山의 소림굴에 들어가 9년을 면벽面壁한 뒤 혜가를 만나 법을 전해주었다.

其四는 但親善友하고 莫結邪朋하라
기 사 단 친 선 우 막 결 사 봉

鳥之將息에 必擇其林이요
조 지 장 식 필 택 기 림

人之求學에 乃選師友니
인 지 구 학 내 선 사 우

擇林木則其止也安하고
택 림 목 즉 기 지 야 안

選師友則其學也高니라
선 사 우 즉 기 학 야 고

故로 承事善友를 如父母하고
고 승 사 선 우 여 부 모

遠離惡友를 似冤家니라
원 리 악 우 사 원 가

鶴無烏朋之計어니
학 무 오 붕 지 계

鵬豈鷦友之謀이리요
붕 개 초 우 지 모

松裏之葛은 直聳千尋이요
송 리 지 갈 직 용 천 심

주인공아, 들어라
自警文

茅中之木_은 未免三尺_{이니}
모 중 지 목 미 면 삼 척

無良小輩_는 頻頻脫_{하고}
무 량 소 배 빈 빈 탈

得意高流_는 數數親_{이어다}
득 의 고 류 삭 삭 친

頌曰
송 왈

住止經行須善友_{하고}
주 지 경 행 수 선 우

身心決擇去荊塵_{이어다}
신 심 결 택 거 형 진

荊塵掃盡通前路_{하고}
형 진 소 진 통 전 로

寸步不移透祖關_{하리라}
촌 보 불 이 투 조 관

넷, 착한 벗은 가까이하고 삿된 벗과 어울리지 말라.

새가 쉴 적에 반드시 숲을 가리고 진리를 배우는 사람은 스승과 벗을 선

택한다. 좋은 숲을 가리면 편안히 쉴 수 있고, 스승과 벗을 잘 택하면 그

학문이 높아지느니라. 그러므로 착한 벗을 부모처럼 섬겨야 하고 악한 벗을 원수같이 멀리하여야 하느니라.

학이 까마귀와 벗할 생각이 없거니 붕새가 어찌 뱁새와 짝할 마음이 있겠는가. 소나무 숲 사이에서 자라나는 칡은 천 길을 곧게 올라가고 띠풀 속의 나무는 석 자를 넘지 못하나니, 어질지 못한 소인들은 언제나 멀리 여의어야 하며, 뜻이 크고 고상한 사람들과는 항상 가까이 친해야 하느니라.

게송으로 말하노라.

머무르거나 다닐 적에 선지식 섬겨
몸과 마음 깨끗이 가시덤불 베어내라.
가시덤불 베어내면 앞길이 트여
한 발도 안 옮기고 조사관을 뚫으리라.

강설 | 함께 수행의 길을 가는 사람을 도반道伴이라 한다. 길을 가는 짝이란 뜻이다. 친한 친구를 단짝이라 부르는 것처럼 좋은 도반을 얻는 것이 수행에 매우 중요하며, 스승을 잘 만나는 것은 더더욱

중요하다. 인간사에 있어서 사람의 선택이 잘되어진다는 것은 행운이며 복이라 할 수 있는데, 또한 이를 인덕人德이라 말한다. 유교의 오복설五福說에서 말하는 유호덕攸好德이다.

선우善友는 착한 벗이라는 뜻이지만 나를 지도해 줄 수 있는 선지식善知識을 말한다. 수행을 지도해주고 바른 깨달음을 얻는 데 선지식의 도움이 필요하다. 『화엄경』에는 선재동자가 53선지식을 찾아가 법을 묻는 장면이 「입법계품」에 나온다. 또 사람의 인품은 사람과의 관계에서 향상되는 결과를 가져오기도 하고 하향되는 결과를 가져오기도 한다. 사람 사이에서 주고받는 영향이 인격 형성에 크게 미치기 때문이다. 숙어에 근묵자흑近墨者黑이라 하여 먹을 가까이하면 검어지기 쉽다 하였다. 또 봉생마중불부자직蓬生麻中不扶自直이라 하여 쑥이 삼밭 속에 자랄 때 붙들어 주지 않아도 삼처럼 곧게 자란다 하였다.

주 │ 祖關조관은 조사관祖師關의 약칭으로 조사의 지위에 들어가는 관문關門이란 뜻이다. 참선 수행에서 간화선을 할 때 드는 화두를 말한다. 공안公案이라고도 한다.

其五_는 除三更外_에 不許睡眠_{이어다}
기 오 　 제 삼 경 외 　 불 허 수 면

曠劫障道_는 睡魔莫大_니
광 겁 장 도 　 수 마 막 대

二六時中_에 惺惺起疑而不昧_{하며}
이 육 시 중 　 성 성 기 의 이 불 매

四威儀內_에 密密廻光而自看_{하라}
사 위 의 내 　 밀 밀 회 광 이 자 간

一生_을 空過_{하면} 萬劫_에 追恨_{이니}
일 생 　 공 과 　 만 겁 　 추 한

無常_은 刹那_라 乃日日而驚怖_요
무 상 　 찰 나 　 내 일 일 이 경 포

人命_은 須臾_라 實時時而不保_{니라}
인 명 　 수 유 　 실 시 시 이 불 보

若未透祖關_{인댄} 如何安睡眠_{이리요}
약 미 투 조 관 　 여 하 안 수 면

頌曰
송 왈

睡蛇雲籠心月暗_{하니}
수 사 운 롱 심 월 암

行人到此盡迷程 이로다
행 인 도 차 진 미 정

箇中拈起吹毛利 하면
개 중 염 기 취 모 리

雲自無形月自明 하리라
운 자 무 형 월 자 명

다섯, 삼경이 아니면 잠자지 말라.

끝없는 오랜 세월 두고 수도에 방해되는 일은 수마(잠·수면)보다 더한 것이 없다. 12시간(현재의 24시간) 어느 때나 또렷한 맑은 정신으로 의심을 일으켜 마음이 흐려지지 말며, 앉거나 서거나 눕거나 다니거나 항상 자세히 빛을 돌이켜 스스로 마음을 살펴보라.

일생을 헛되이 보낸다면 만겁에 한이 될 것이다. 덧없는 세월은 찰나와 같으니 날마다 놀라 두려워할 것이며, 사람의 목숨은 잠깐이니 실로 늘 보존되는 것이 아니니라. 만약 조사의 관문을 뚫지 못하였다면 어찌 편안히 잠을 잘 수 있겠는가?

게송으로 말하노라.

독사 같은 졸음 구름 마음의 달을 어둡게 하니

도 닦는 이 여기 와서 길을 몰라 헤맨다.

이럴 때 지혜의 칼을 빼어 들면

구름 절로 없어지고 달이 절로 밝으리라.

강설 │ 수면도 인간의 본능 가운데 하나이다. 오욕락五慾樂에도 들어 있다. 수행자에게 이 본능적 욕구를 절제 극복하는 것이 무엇보다도 수도의 완성을 기할 수 있는 관건이다. 잠을 적게 자라는 것은 시간을 아끼라는 뜻이다. 인간의 모든 일에도 시간을 아껴 열심히 노력해야 성공이 오는 법이다. 현대의 하루 24시간을 옛날에는 육갑六甲의 12지十二支 이름으로 시간을 나타냈다. 자子, 축丑, 인寅, 묘卯, 진辰, 사巳, 오午, 미未, 신申, 유酉, 술戌, 해亥로 하루의 시간을 구분했던 것이다.

수면을 수도를 방해하는 마군魔軍이라 하여 수마睡魔라 하였다. 학문을 하는 데도 시간을 아끼라는 경책은 예로부터 많이 해왔다. 주자의 글에도 다음과 같은 시가 전해진다.

소년이로학난성 少年易老學難成

일촌광음불가경 一寸光陰不可輕

주인공아, 들어라
自警文

미각지당춘초몽 未覺池塘春草夢

계전오엽이추성 階前梧葉已秋聲

소년은 늙기 쉽고 학문은 이루기 어렵나니

잠시라도 시간을 가벼이 여기지 말라.

연못의 봄풀이 채 꿈에서 깨기 전에

층계 앞 오동나무 잎이 벌써 가을 소리를 낸다.

도연명陶淵明의 글에도 성년부중래盛年不重來라 하여 젊음은 두 번 다시 오지 않는다 하였다.

주 | 廻光회광 이라는 말은 회광반조廻光返照의 줄인 말로 객관 경계를 쫓아가는 마음을 돌이켜 안으로 자기의 심성을 비추어 보는 것을 말한다.

刹那찰나 는 가장 짧은 시간을 나타내는 말로 산스크리트어 크사나 Kṣaṇa를 음사한 말이다. 번역하면 한 생각이 일어나는 순간을 뜻하는 일념一念이라 한다. 겁의 반대되는 가장 짧은 시간의 단위로 오늘날의 현대 시간 단위로 보면 75분의 1초에 해당한다. 또 이 일념 사이에 900생멸生滅이 있다는 설도 있다.

睡蛇수사 는 수면을 뱀에 비유하여 한 말로 수도하는 데 졸음이 뱀과 같은 독소로 장애가 된다는 뜻이다. 뱀이 개구리를 삼키면 경각頃刻

에 개구리의 정기를 빼앗아 버리듯이 사람이 수마의 침입을 입으면 경각에 정신이 어두워지는 것을 비유한 것이라 한다.

吹毛利취모리는 매우 날카로운 칼 이름이다. 칼날 위에 토끼털을 놓으면 끊어져 두 조각이 될 정도로 날카로운 칼을 취모리라고 한다. 이는 곧 예리한 지혜를 비유하여 한 말이다.

其六는 切莫妄自尊大하고
기 육 절 막 망 자 존 대

輕慢他人이어다
경 만 타 인

修仁得仁은 謙讓이 爲本이요
수 인 득 인 겸 양 위 본

親友和友는 敬信이 爲宗이니라
친 우 화 우 경 신 위 종

四相山이 漸高하면 三途海盆深하나니
사 상 산 점 고 삼 도 해 익 심

外現威儀는 如尊貴나
외 현 위 의 여 존 귀

內無所得은 似朽舟니라
내 무 소 득 사 후 주

官盆大者는 心盆小하고
관 익 대 자 심 익 소

道盆高者는 意盆卑니라
도 익 고 자 의 익 비

人我山崩處에 無爲道自成하나니
인 아 산 붕 처 무 위 도 자 성

凡有下心者는 萬福이 自歸依니라
범 유 하 심 자 만 복 자 귀 의

頌曰
송 왈

憍慢塵中藏般若요
교 만 진 중 장 반 야

我人山上長無明을
아 인 산 상 장 무 명

輕他不學躘踵老하면
경 타 불 학 용 종 로

病臥辛吟恨不窮이니라
병 와 신 음 한 불 궁

여섯, 나를 높이고 남을 업신여기지 말라. 어진 행실 닦아 어진 사람이 되는 것은 겸손과 양보가 근본이 되고 벗을 사귀어 좋은 사이가 되는 것은 공경과 믿음이 으뜸이 된다.

네 가지 상의 산(四相山)이 높아질수록 삼악도의 고해가 더욱 깊어지느니라. 밖으로 나타난 위의는 존귀한 것 같으나 안으로 수행해 얻은 바가 없으면 썩은 배와 같으니라.

벼슬이 높을수록 마음을 낮게 가지고 도가 높을수록 더욱 겸손한 생각을

주인공아, 들어라
自警文

가져야 하느니라. 나니 너니 하는 상이 무너진 곳에 함이 없는 도가 저절로 이루어지니 무릇 하심을 하는 사람에게 온갖 복이 저절로 돌아오느니라.

게송으로 말하노라.

교만의 티끌 속에 지혜는 파묻히고
나니 너니 하는 아인我人의 산 위에는 무명만 자라나니,
제 잘난 체 남 업신여기다 못 배우고 늙어지면
병들어 눕고 나서 쓰라린 신음 속에 한탄만 남으리라.

강설 │ 수행자에게는 겸손의 미덕이 갖춰져 있어야 한다는 점을 강조해 놓았다. 사람의 성품이 어질 때 그 사람의 인격의 향기가 풍기게 되는 것이다. 『법구비유경』에 향을 쌌던 종이에는 향냄새가 풍기고 썩은 생선을 묶었던 끈에서는 썩은 비린내가 풍긴다는 말이 있다. 어진 성품으로 겸손한 자세로 선업을 닦는 사람에게는 인간성의 향기가 풍기는 것이다. 사람의 인격적 유대는 공경과 믿음으로 이루어진다. 아만을 드러내는 상相 많은 사람은 선업을 닦기가

어렵다. 『법화경』에 나오는 상불경보살常不輕菩薩처럼 만나는 사람마다 '나는 당신을 존경합니다. 당신은 장차 부처가 되실 분입니다'라는 인사를 하다가 오히려 남에게 욕을 얻어먹으며 바보 취급을 당하더라도 남을 존중하는 정신을 잃지 않는다면 그 사람이 먼저 도를 이룰 사람이고 먼저 부처가 될 사람이라는 것이다. 더구나 무아無我를 내세우는 부처님 교법에 있어서 하심을 하지 못한다면 수행자로서의 자질이 부족하다고 의심받을 일이다. 게송에서는 노쇠해지고 기력이 없어 병석에 들어가면 그때는 신음만 하면서 탄식을 하게 된다 하였다.

주| 四相사상은 아상我相·인상人相·중생상衆生相·수자상壽者相을 말한다.

아상은 자아에 대한 관념적인 고집으로 오온五蘊이 공한 이치를 모르고 실재하는 나가 있는 것처럼 생각하고 내 것〔我所〕이 있다고 생각하여 자신에 대해 집착하는 것을 말한다.

인상은 인간 본위의 고정관념으로 생명체의 절대 평등한 이치를 모르고 인간 우월주의에서 비롯되는 고집과 집착을 말한다.

중생상은 중생이라는 고정관념에서 비롯되는 집착으로 정식情識 있는 중생과 오온의 화합을 통한 인식 작용이 없는 물질세계를 대립적으로 보고 생각하는 이원적二元的 관념으로 쉽게 말하면 동물과 식물에 있어서 인식 관념의 비중이 동물 우선 쪽으로 치우지는 관념의 고집이다.

수자상은 수명에 대한 관념적인 고집으로 일정한 기간의 목숨에 집착하여 생사가 없는 열반의 경지를 모르는 육체가 존재하는 살아있는 것에만 생명이 있다고 고집하는 견해이다.

無明무명은 산스크리트어 아비드야Avidyā의 역어로서 미혹迷惑의 근본인 무지無知를 말한다.『대승기신론』에서는 여실히 진여법眞如法이 하나임을 알지 못하는, 깨닫지 못한 불각不覺의 상태를 무명이라 하였다. 낱말의 뜻으로는 어둠이라는 말이다. 진여가 무명의 바람에 의해 흔들리는 최초의 상태를 아뢰야식阿賴耶識이라 하였다.

其七는 見財色이어든
기 칠 견 재 색

必須正念對之어다
필 수 정 념 대 지

害身之機는 無過女色이요
해 신 지 기 무 과 여 색

喪道之本은 莫及貨財니라
상 도 지 본 막 급 화 재

是故로 佛垂戒律하사 嚴禁財色하사대
시 고 불 수 계 율 엄 금 재 색

眼覩女色이어던 如見虎蛇하고
안 도 여 색 여 견 호 사

身臨金玉이어든 等視木石하라하니라
신 임 금 옥 등 시 목 석

雖居暗室이나 如對大賓하고
수 거 암 실 여 대 대 빈

隱現同時하며 內外莫異어다
은 현 동 시 내 외 막 이

心淨則善神이 必護하고
심 정 즉 선 신 필 호

주인공아, 들어라
自警文

戀色則諸天이 不容하나니
연 색 즉 제 천 불 용

神必護則雖難處而無難이요
신 필 호 즉 수 난 처 이 무 난

天不容則乃安方而不安이니라
천 불 용 즉 내 안 방 이 불 안

頌曰
송 왈

利慾閻王引獄鎖요
이 욕 염 왕 인 옥 쇄

淨行陀佛接蓮臺니라
정 행 타 불 접 련 대

鎖拘入獄苦千種이요
쇄 구 입 옥 고 천 종

船上生蓮樂萬般이니라
선 상 생 련 락 만 반

일곱, 재물과 여색을 보거든 반드시 올바른 생각으로 대하라.

몸을 해치는 데는 여색보다 더한 것이 없고, 도를 잃게 되는 근본은 재물

보다 더한 것이 없느니라. 그러므로 부처님이 계율을 마련하시어 재물과

133

색을 엄금하셨다.

'눈으로 여색을 보거든 호랑이나 독사를 만난 것 같이하고, 금옥(재물)이 몸에 임할때는 목석木石 보듯이 하라' 하셨느니라.

비록 어두운 방에 혼자 있을 때라도 큰손님을 맞이한 것처럼 하고, 남이 볼 때나 안 볼 때나 똑같이 하여 겉과 속이 다르게 하지 말지어다.

마음이 깨끗하면 선신이 보호하고, 여색을 생각하면 하늘이 용납하지 않느니라. 선신이 보호하면 험한 곳에 있어도 어려움이 없어지고, 하늘이 용납하지 않으면 편안한 데 있어도 편하지 못하느니라.

게송으로 말하노라.

이양과 탐욕은 염라왕의 지옥문의 자물쇠를 여는 것이고
청정 수행은 아미타불이 극락세계로 맞이하는 것이니
지옥에 갇히면 온갖 고통 받게 되며
배 위에 연꽃 핀 극락세계 즐거움은 이루 다 말 못하리.

강설 | 재물과 색은 수도를 방해하는 일차적인 난관이다. 그리하여 재색의 경계를 만났을 때 나를 해치려는 호랑이나 독사를 만난 것

처럼 생각하라 하였다. 황금 보기를 돌같이 하라는 옛말처럼 물질의 유혹에 초연해질 때 도심이 살아나는 것이다.

옛날 어느 형제가 길을 가고 있었다. 형이 앞에 가고 동생이 뒤에 갔는데 도중에 뒤에 가던 동생이 길가에서 금덩이 두 개를 발견하고 주웠다. 형이 못보고 가던 것을 뒤에 가던 동생이 주운 것이다. 동생은 금덩이 하나를 형에게 주었다. 사이좋게 형제가 하나씩 나눠 가졌던 것이다. 길을 한참 가던 두 형제가 강가에 이르러 나룻배를 타게 되었다. 배를 타고 강을 건너던 중 동생이 주웠던 금덩이를 강물에 던져버리는 것이었다. 형이 깜짝 놀라 동생에게 물었다.

"왜 금덩이를 강물에 던져버리는가?"

동생이 대답했다.

"형님 이 금덩이가 우리 형제의 우애를 끊고 사이를 갈라놓을 위험한 물건으로 생각되어 던져버렸습니다. 아까부터 형님과 같이 오지 않고 나 혼자 왔더라면 금덩이 두 개를 모두 다 내가 가질 수 있었을 텐데 하는 생각이 자꾸 들어 이 나쁜 생각을 없애기 위해 던져버렸습니다."

이 말을 들은 형도 금덩이를 강물에 던져버렸다.

욕심이 악업을 만들어 악도의 과보를 받게 한다. 염라대왕은 이승에서 지은 인간의 업을 심판한다는 명부冥府의 왕이다. 수행을 잘하면 부처님 세계로 가는 것이고 재색에 끌려 나쁜 업을 지으면 지옥의 감옥에 가게 된다는 것이다.

주 │ 閻王염왕은 염라대왕閻羅大王의 줄인 말이다. 산스크리트어 야마Yama를 음사하여 염마閻魔라 하고 rāja를 붙여 염마왕(閻魔王, yama-rāja) 혹은 염라왕閻羅王이라 한다. 염마 곧 야마는 죄인을 결박하여 묶는다는 뜻이고 염라왕은 죄를 공평하게 다스린다는 평등왕平等王이란 의미가 들어 있는 말이다. 또 죄악을 멈추게 한다는 뜻의 차지遮止와 다툼을 쉬게 한다는 쟁식諍息의 뜻이 들어 있는 말이기도 하다. 일반적으로 중생의 죄를 감시하며 죽은 사람의 죄를 판단하는 명계冥界의 우두머리로 불교에서는 도교의 사상과 결합하여 명부에서 죽은 사람의 생전의 죄업을 재판하는 명부 시왕의 하나로 다섯 번째 왕을 염라대왕이라 한다.

其八은 莫交世俗하야 令他憎嫉이어다
기 팔 막 교 세 속 영 타 증 질

離心中愛曰沙門이요
이 심 중 애 왈 사 문

不戀世俗曰出家니라
불 련 세 속 왈 출 가

旣能割愛揮人世어니
기 능 할 애 휘 인 세

復何白衣로 結黨遊리요
부 하 백 의 결 당 유

愛戀世俗은 爲饕餮어니
애 련 세 속 위 도 철

饕餮은 由來로 非道心이니라
도 철 유 래 비 도 심

人情이 濃厚하면 道心疎니
인 정 농 후 도 심 소

冷却人情永不顧니라
냉 각 인 정 영 불 고

若欲不負出家志인댄
약 욕 불 부 출 가 지

須向名山窮妙旨 호대
수 향 명 산 궁 묘 지

一衣一鉢로 絕人情하고
일 의 일 발 절 인 정

飢飽에 無心하면 道自高니라
기 포 무 심 도 자 고

頌曰
송 왈

爲他爲己雖微善이나
위 타 위 기 수 미 선

皆是輪廻生死因이니
개 시 윤 회 생 사 인

願入松風蘿月下하야
원 입 송 풍 라 월 하

長觀無漏祖師禪이어다
장 관 무 루 조 사 선

여덟, 세속 사람을 사귀어 미움을 받지 말라. 마음 가운데 애정이 없어야 사문이고, 세속을 그리워하지 않아야 출가라 하느니라. 이미 사랑을 끊고 세상을 등졌거늘 어찌 세속 사람들과 어울려 놀겠는가? 세속을 그리

위하고 못 잊으면 도철이라 한다. 도철은 본래부터 도심이 없기 때문이다. 인정이 짙으면 도심이 생겨지지 않나니 인정을 냉정히 하여 영영 돌아보지 말라.

출가한 본래 마음을 버리지 않으려면 마땅히 명산을 찾아가서 묘한 이치를 탐구하라. 가사 한 벌과 발우 하나로 인정을 끊고 주리고 배부른 데 마음 쓰지 아니하면 도가 스스로 높아지느니라.

게송으로 말하노라.

나와 남 위하는 일 비록 착하긴 해도
모두 생사에 윤회하는 원인이거니
솔바람 칡덩굴 달빛 아래 들어가
길이 새지 않는 조사선祖師禪을 관할지어다.

강설 출가는 세속적 환경을 떠난다는 의미로 쓰이는 말이다. 불교의 출가수행자란 세속의 집을 나와 세속적 인간관계를 벗어난다는 의미이다. 따라서 세속적인 정분情分에 끌리지 않고, 도업道業을 위한 자기 관리가 필요하다. 특히 사사로운 인정 때문에 공부에 방해가 생겨서는 안 된다.

고려시대 나옹 스님에 관해 전해지는 설화가 있다. 나옹 스님의 속가 누이동생이 오라버니가 보고 싶어 출가한 스님을 자주 찾아다녔다고 한다. 그러나 스님이 만나주지 않고 다른 스님을 통하여 편지를 한 장 적어 누이동생이 오거든 전해달라고 부탁하였다. 그 편지의 내용은 출가한 사람은 수행에 전념해야 하기 때문에 속가의 권속을 만나는 것이 수행에 방해가 되니 앞으로는 절대 찾아오지 말고 내가 보고 싶을 때 아미타부처님을 생각하라고 적어주었다는 것이다. 이 편지 글귀에 들어 있었다는 게송이 전해지고 있으며 법당 주련柱聯에 써 붙여지기도 하고 또 장엄염불에도 나오고 있다.

아미타불재하방 阿彌陀佛在何方
착득심두절막망 着得心頭切莫忘
염도염궁무념처 念到念窮無念處
육문상방자금광 六門常放紫金光

아미타부처님이 어디에 계신가?
이 생각을 가슴에 붙여 놓고 잊어버리지 말아라.
생각하다 생각이 다하여 생각이 없는 곳에 이르면
육근의 문에서 항상 붉은 금색의 광명이 나오리라.

주인공아, 들어라
自警文

육문은 눈, 귀, 코, 혀, 몸, 의식의 육근을 두고 한 말이다. 혈육에 대한 생각도 부처님을 향한 마음으로 돌려놓으라는 말이다. 수행자의 본분은 어떤 상황에도 도심道心을 잃어서는 안 된다는 것이다.

주| 饕餮도철은 짐승의 이름으로 양의 몸에 사람의 얼굴을 가지고 있으며, 눈은 겨드랑이에 있고 호랑이 이빨과 사람의 손톱을 가지고 있다 한다. 어린아이 울음 같은 소리를 내며, 먹이를 먹을 때 만족할 줄 모르고 자꾸만 먹어 마침내 제 몸을 해친다고 한다.

祖師禪조사선은 문자를 의지하지 않는 교외별전敎外別傳의 격외선格外禪으로 주로 공안公案을 타파하여 깨달음을 얻는 간화선을 말한다. 마음에서 마음으로 전하는 이심전심의 선이다. 조선후기 백파 긍선이 선문수경을 지어 선을 의리선義理禪, 여래선如來禪, 조사선祖師禪으로 분류하였다. 의리선은 언어문자로 그 이치를 설명하는 것이고 여래선은 여래의 교설에 의거하여 자성청정심을 바로 체득하는 것이며, 조사선은 이심전심의 선지를 바로 체득하는 것이라 하였다. 그는 여래선과 조사선이 모두 격외선이라 하였다.

其九는 勿說他人過失하라
기 구 물 설 타 인 과 실

雖聞善惡이나 心無動念이니
수 문 선 악 심 무 동 념

無德而被讚은 實吾慚愧요
무 덕 이 피 찬 실 오 참 괴

有咎而蒙毁는 誠我欣然이니라
유 구 이 몽 훼 성 아 흔 연

欣然則知過必改요
흔 연 즉 지 과 필 개

慚愧則進道無怠니라
참 괴 즉 진 도 무 태

勿說他人過하라 終歸必損身이니라
물 설 타 인 과 종 귀 필 손 신

若聞害人言이어던 如毁父母聲하라
약 문 해 인 언 여 훼 부 모 성

今朝에 雖說他人過나
금 조 수 설 타 인 과

異日에 回頭論我咎니
이 일 회 두 론 아 구

雖然 凡所有相 皆是虛妄
수 연　　범 소 유 상　　개 시 허 망

이나

譏毀讚譽 何憂何喜
기 훼 찬 예　　하 우 하 희

에 리요.

頌曰
송 왈

終朝亂說人長短
종 조 란 설 인 장 단

타가

竟夜昏沈樂睡眠
경 야 혼 침 락 수 면

이로다

如此出家徒受施
여 차 출 가 도 수 시

라

必於三界出頭難
필 어 삼 계 출 두 난

하리라

아홉, 남의 허물을 말하지 말라.

비록 좋다 하거나 나쁘다 하는 말을 듣더라도 마음에 아무 생각도 움직이지 말라. 덕이 없는데도 칭찬을 듣는 것은 실로 내가 부끄러워해야 할 일이며, 허물이 있어 헐뜯는 말을 듣는 것은 진실로 내가 기뻐해야 할 일이다. 기뻐하면 반드시 잘못을 고치게 되고 부끄러워하면 도에 나아가는 데 게으르지 않게 될 것이다.

다른 사람의 허물을 말하지 말라. 마침내 그 허물이 내게로 돌아와 몸을 해치느니라. 만일 남을 해치는 말을 듣거든 부모를 헐뜯는 말로 들으라. 오늘은 비록 남의 허물을 말했으나 그것이 다음날 도리어 나의 허물을 말한 것으로 되느니라. 게다가 모든 존재는 다 허망한 것이니 헐뜯고 칭찬하는 말을 들었다고 근심하고 기뻐할 것이 무어 있으랴.

게송으로 말하노라.

온종일 잘했네, 못했네 시비하다가
밤새도록 혼침하여 잠만 즐기네.
이와 같은 출가라면 헛되이 시은만 져서
삼계를 벗어나기 어려우니라.

강설 │ 말은 그 사람의 교양을 나타내는 것이다. 교양이 있는 사람은 말로써 남의 감정을 상하게 하는 일은 삼간다. 남의 약점이나 허물을 들추는 것은 분명 수행자가 할 일은 아니다. 때로는 말 한마디에 그 사람의 인격이 실린다. 한 번 내뱉어진 말은 엎질러진 물처럼 주워 담을 수가 없는 것이다. 또 내가 아닌 남을 헐뜯는 말이라도 즐겨 듣지 말아야 한다. 중국의 허유許由라는 사람은 듣기 싫은 말을 들었다고 강물에 귀를 씻었다는 고사가 있듯이 의롭지 못한 말을 듣는 것은 몸에 먼지가 묻는 것처럼 좋은 일이 못되는 것이다. 우리나라 속담에 '말 한마디로 천 냥 빚을 갚는다' 하였다. 남에게 감동을 줄 수 있는 말은 법의 이익을 주는 것이 되어 어떤 물질적 가치보다 나은 것이다. 또 '가는 말이 고와야 오는 말이 곱다' 하지 않았던가? 말로써 믿고 못 믿는 신의의 문제가 야기된다. 진실한 말로 서로 신뢰를 쌓아가면서 인간관계를 유지해가야 하는 것이다. 비록 남으로부터 나를 비방하고 헐뜯는 말을 들었더라도 수행자의 입장에서는 불쾌한 감정에 사로잡히지 말고 초연해야 한다고 하였다. 왜냐하면 수행자는 외부로부터 오는 자극에 마음이 동요되거나 감정이 상해서는 안 되기 때문이다.

주 | 三界삼계는 중생의 생사윤회가 거듭되는 영역 안에 있는 세 가지 세계로 욕계·색계·무색계를 말한다. 욕계는 본능적 욕구인 식욕, 음욕, 수면욕 등이 있어, 이 본능에 의해 사는 중생의 업이 치성한 곳으로 지옥, 아귀, 축생, 아수라, 인간, 육욕천 등이 이에 속한다. 색계는 욕계 위에 있으며, 본능적 욕망을 초월했으나 아직 물질적 형체에 의지하여 사는 세계이다. 이 색계는 선정의 깊고 얕은 정도에 따라 네 곳으로 나누어지므로 사선천四禪天이라고 부른다. 무

색계는 색계 위에 있는 세계로 색, 곧 물질을 여읜 순정신적 세계다. 이 세계는 색온色蘊이 없고 수受, 상想, 행行, 식識 사온이 있다. 이 무색계에는 공무변처천空無邊處天, 식무변처천識無邊處天, 무소유처천無所有處天, 비상비비상처천非想非非想處天의 사천이 있다.

其十은 居衆中하야 心常平等이어다
기 십 거 중 중 심 상 평 등

割愛辭親은 法界平等이니
할 애 사 친 법 계 평 등

若有親疎면 心不平等이라
약 유 친 소 심 불 평 등

雖復出家나 何德之有리요
수 부 출 가 하 덕 지 유

心中에 若無憎愛之取捨하면
심 중 약 무 증 애 지 취 사

身上에 那有苦樂之盛衰리요
신 상 나 유 고 락 지 성 쇠

平等性中에 無彼此하고
평 등 성 중 무 피 차

大圓鏡上에 絶親疎니라
대 원 경 상 절 친 소

三途出沒은 憎愛所纏이요
삼 도 출 몰 증 애 소 전

六道昇降은 親疎業縛이니라
육 도 승 강 친 소 업 박

147

契心平等 하면 本無取捨 니
계 심 평 등　본 무 취 사

若無取捨 면 生死何有 리요
약 무 취 사　생 사 하 유

頌曰
송 왈

欲成無上菩堤道 인댄
욕 성 무 상 보 리 도

也要常懷平等心 이어다
야 요 상 회 평 등 심

若有親疏憎愛計 하면
약 유 친 소 증 애 계

道加遠兮業加深 하리라
도 가 원 혜 업 가 심

열, 대중과 함께 살 적엔 마음을 항상 평등하게 가지라.

사랑을 덜어 내고 부모를 떠난 것은 법계가 평등한 탓이니 만약 친소가

있다면 마음이 평등하지 못한 것이다. 그렇다면 출가하여 무슨 덕이 있겠

는가?

마음속에 미워하고 사랑하는 분별이 없으면 몸에 어찌 괴롭고 즐거움의

성쇠가 있으리오.

평등한 성품에는 피차가 없고 큰 거울 위에는 친소가 끊어졌느니라. 삼악도에 드나드는 것은 사랑하고 미워하는 마음이 있기 때문이고, 육도에 오르내리는 것은 친소의 업에 묶인 탓이니라.

마음이 평등한 데 부합하면 본래 취하고 버릴 것이 없어지나니 만약 취하고 버릴 것이 없다면 나고 죽음이 어찌 있겠는가?

게송으로 말하노라.

위 없는 보리도를 이루고자 한다면
언제나 평등한 마음을 가지고 있어라.
사랑하고 미워하는 친소를 두면
도는 멀어지고 업만 더욱 깊어지리라.

강설 | 마음이 평등하다는 것은 객관 경계에 의해 일어나는 차별심이 쉬어진다는 뜻이다. 수행자는 헐떡거리는 마음을 쉬어야 한다고 한다. 달마 스님이 제자 혜가에게 도에 들어가는 방편을 일러준 말이 전해진다.

"밖으로 모든 반연을 쉬고 안으로 마음에 헐떡거림이 없이 마음이 벽과 같아야 도에 들어갈 수 있다〔外息諸緣 內心無喘 心如墻壁 可以入道〕."

이 말 역시 친소 관계에 얽혀 마음에 애증의 갈등이 없어야 한다는 것을 말한 것이다. 전통 강원의 사미과沙彌科 과목인 〈치문緇門〉에는 식심息心을 강조한 글이 수록되어 있다. 식심이란 마음을 쉬어 경계에 따라 움직이지 않는 것을 말한다. 이는 바깥 경계를 따라가려는 마음을 안으로 거둬들인다는 섭심攝心을 뜻하는 말이다. 달마 스님은 또 '마음을 관하는 한 가지 법이 모든 행을 거둬들인다〔觀心一法 總攝諸行〕' 하였다. 경계에 평등해지는 것은 선에서 말하는 무심無心과 상통하는 말이다. 또 이 평등의 의미에는 시간적으로 과거와 현재, 미래에 있어서 한결같은 마음이 유지되는 것을 말하기도 한다. 말하자면 변덕이 일어나 처음 생각을 바꾸거나 포기하지 않는 초지일관한 마음 그대로인 것을 뜻한다.

주 | 法界법계는 산스크리트어 다르마다투Dharma-dhātu를 번역한 말로 여러 가지 뜻이 있는 말이다. 보통 일체 법이 존재하는 범주를 가리키는 말로 쓰이나 종파에 따라 그 개념은 조금씩 차이가 있다. 화엄종에서는 법과 계를 각각 세 가지 뜻으로 설명했다. 법은 자성自性, 궤칙軌則, 대의對意이고 계는 법의 원인原因, 모든 법의 진실한 본성本性, 모든 법이 제각기 차별성을 유지하는 분제分齊의 뜻으로 보았다. 곧 법이란 자성을 유지한다는 뜻〔任持自性〕과 근본적인 법도

로써 따르는 궤칙〔軌生物解〕, 그리고 의식과 상대되는 것이란 말이다. 계는 불도를 이루는 원인, 모든 법이 의지하는 성품性品, 구분되는 한정된 범위라는 뜻이다. 『섭대승론』에는 법계를 청정한 법의 원인 이라 하였다. 이 법계를 다시 이理와 사事로 나누어 이법계, 사법계 라고 하며 또 일진법계一眞法界라 하여 마음의 근원인 불성 당체를 가리키는 말로 쓰기도 한다.

大圓鏡대원경은 크고 둥근 거울이라는 말로 망상 분별이 없는 깨끗 한 마음자리를 가리키는 말로 부처님의 지혜를 큰 거울에 비유해 대원경지大圓鏡智라고 한다.

主人公_아 汝値人道_{함이}
주인공 여치인도

當如盲龜遇木_{이어늘}
당여맹구우목

一生_이 幾何_{관대} 不修懈怠_오
일생 기하 불수해태

人生難得_{이요} 佛法難逢_{이라}
인생난득 불법난봉

此生_에 失却_{하면} 萬劫_에 難遇_니
차생 실각 만겁 난우

須持十門之戒法_{하야}
수지십문지계법

日新勤修而不退_{하고}
일신근수이불퇴

速成正覺_{하야} 還度衆生_{하라}
속성정각 환도중생

我之本願_은
아지본원

非爲汝獨出生死大海_라
비위여독출생사대해

주인공아, 들어라
自警文

亦乃普爲衆生也_니
역 내 보 위 중 생 야

何以故_오 汝自無始以來_로
하 이 고 여 자 무 시 이 래

至于今生_히 恒値四生_{하야}
지 우 금 생 항 치 사 생

數數往還_{함이}
삭 삭 왕 환

皆依父母而出沒也_{일새}
개 의 부 모 이 출 몰 야

故_로 曠劫父母無量無邊_{하니}
고 광 겁 부 모 무 량 무 변

由是觀之_{컨대} 六道衆生_이
유 시 관 지 육 도 중 생

無非是汝_의 多生父母_라
무 비 시 여 다 생 부 모

如是等類咸沒惡趣_{하야}
여 시 등 류 함 몰 악 취

日夜_에 受大苦惱_{하나니}
일 야 수 대 고 뇌

若不拯濟_면 何時出離_{리요}
약 부 증 제 　 하 시 출 리

鳴呼哀哉_라 痛纏心腑_{로다}
오 호 애 재 　 통 전 심 부

千萬望汝_{하노니} 早早發明大智_{하야}
천 만 망 여 　 조 조 발 명 대 지

具足神通之力_{하며}
구 족 신 통 지 력

自在方便之權_{하야}
자 재 방 편 지 권

速爲洪濤之智楫_{하야}
속 위 홍 도 지 지 즙

廣度欲岸之迷倫_{이어다}
광 도 욕 안 지 미 륜

주인공아, 그대가 사람으로 태어난 것이 눈먼 거북이가 구멍 뚫린 나무 토막을 만난 것과 같은 것이거늘, 한평생이 얼마나 되기에 닦지 않고 게으름을 피우는가? 사람으로 태어나기 어렵고 불법 만나기는 더욱 어려우니라.

이생에서 사람 몸 잃어버리거나 불법 놓치면 만겁을 지내더라도 다시 만

주인공아, 들어라
自警文

나기 어려우니, 모름지기 열 가지 문의 제법을 의지하여 날로 부지런히 닦아서 물러나지 말고 속히 정각을 이루어 모든 중생을 제도하도록 하라.

내가 실로 바라는 바는 그대 혼자만 생사의 바다에서 벗어나는 것이 아니고 모든 중생을 널리 제도하라는 것이다. 왜냐하면 그대가 끝없는 옛적부터 이생에 이르기까지 네 가지로 생명을 받아 나고 죽고 할 때에 다 부모를 의지하여 태어났으므로 지극히 오랜 세월에 부모 되었던 이가 한량없이 많았으니 이렇게 보면 육도 중생이 그대의 여러 생 동안의 부모 아닌 이가 하나도 없기 때문이니라.

이러한 중생이 모두 악취에 빠져서 밤낮으로 큰 고통을 받고 있나니, 만일 그대가 건져내지 않는다면 어느 때에 그들이 생사의 고통에서 벗어나리오. 생각하면 가슴이 찢어지듯 안타깝고 슬프도다.

부디 바라노니, 그대는 어서 큰 지혜를 밝혀 신통 변화의 위력과 자재한 방편의 힘을 갖추고, 속히 거친 파도에 지혜의 노를 젓는 사람이 되어 욕망의 언덕에서 헤매는 미혹의 중생을 널리 제도할지어다.

강설┃ 중생이 육도에 윤회를 하는 것은 인간도에서 지은 업이 원인이 되어 그 과보로 선도나 악도로 가게 된다는 것이다. 생을 거듭하면서 육도를 옮겨가는 수가 있는데 가령 인간도에서 지은 업이 악업이 많을 경우, 다음 생에는 인간의 몸을 받지 못하고 축생이나 아귀 또는 지옥에 가게 되어 내생에 인간 몸을 잃어버린다.

불교의 수행 목적은 깨달음을 얻기 위한 것인데 깨달음을 얻은 것을 '해탈을 하였다', '열반을 얻었다' 말하기도 한다. 이는 모두 윤회를 벗어났다는 뜻이다. 나고 죽는 생사가 계속되는 것을 윤회라 하며 이 윤회가 괴로움이므로 해탈은 괴로움을 당하는 업의 속박에서 벗어났다는 것이고 동시에 생사를 벗어났다는 것이다.

이 장에서는 나 혼자만의 해탈을 위하지 말고 악도 중생을 건져 내어 생사를 벗어나게 하라는 대승의 이타원력을 강조하였다. 대승에서는 소승의 자리에 치중된 독선적 수행을 금기하고 있다. 내가 제도를 받지 못하더라도 남을 먼저 제도 받을 수 있도록 하는 것이 대승의 보살 원력이다. 지장보살 같은 이는 중생을 위한 대비심이 지극하여 자신의 성불을 포기한 보살로 알려져 있다. 그것은 지장보살의 원력이 지중하여 '중생을 모두 제도하고 나서야 보리를 증득하고 지옥 중생을 제도하지 못하면 맹세코 성불을 하지 않겠다〔衆生度盡 方證菩提 地獄未除 誓不成佛〕'는 특별한 서원을 세워 자신의 성불을 포기한 결과가 된다는 것이다. 이를 대비천제大悲闡提라 한다.

불교의 목적을 계, 정, 혜의 삼학을 바탕에 두고 말할 때 세 가지로 설명된다. 악을 버리고 선을 닦는 지악수선止惡修善은 계학에 의해 이루어지는 목적이고 번뇌의 괴로움을 여의고 즐거움을 얻는다는 이고득락離苦得樂은 정학에 의해 성취되는 목적이다. 그리고 어리석음을 지혜로움으로 전환한다는 전미개오轉迷開悟는 혜학의 성취인 것이다. 기신론의 저자 마명馬鳴보살은 일체의 괴로움을 여의고 완전한 즐거움을 누리게 하는 것이 불교라 하였다.

주│ 盲龜遇木맹구우목은 중생이 사람의 몸을 받아 인간 세상에 태어나기가 어렵고 또 부처님 법을 만나기가 어렵다는 것을 비유하는 말이다. 바다 깊은 곳에 수명이 매우 긴 눈먼 거북이가 살고 있는데 백 년마다 한 번씩 바다 위로 머리를 내밀 때 마침 구멍이 뚫린 나무가 물결을 따라 떠다니다가 공교롭게도 눈먼 거북이의 머리가 나무 구멍에 맞추어져 그 구멍으로 목을 내밀고 숨을 쉬게 된다는 설화다.

보조 스님의 『수심결』에도 '누가 나로 하여금 사람 몸으로 태어나 만물의 영장이 되고 진리를 닦는 길을 잃지 않게 하였는가? 마치 눈먼 거북이가 나무 구멍에 머리를 내민 것 같도다' 라고 하였다. 맹구부목盲龜浮木이라고도 하는데, 원 출처는 『잡아함경』「맹구경」에 나오는 이야기지만 『대승장엄론』이나 『법화경』에도 나온다.

多生父母다생부모란 생사를 거듭하는 세세생생마다 부모가 있으므로 이를 두고 한 말이다. 말하자면 금생의 부모뿐만 아니라 전생에도 부모가 있었고 내생에도 부모에 의해 태어나므로 부모가 있는 것이다.

『부모은중경』에는 부처님이 길가에 있는 뼈 무더기에 절을 하는 장

면이 나온다. 아난존자가 의아해 묻자 여기에 버려진 뼈 무더기가
과거생의 부모의 유해일 수도 있다고 하면서 다생부모의 이야기를
한다.

주인공아, 들어라
自警文

君不見_가 從上諸佛諸祖_가
군 불 견 종 상 제 불 제 조

盡是昔日_에 同我凡夫_{일러니라}
진 시 석 일 동 아 범 부

彼旣丈夫_라 汝亦爾_니
피 기 장 부 여 역 이

但不爲也_{언정} 非不能也_{니라}
단 불 위 야 비 불 능 야

古曰道不遠人_{이라} 人自遠矣_{라하며}
고 왈 도 불 원 인 인 자 원 의

又云我欲仁_{이면} 斯仁_이 至矣_{라하시니}
우 운 아 욕 인 사 인 지 의

誠哉_라 是言也_여
성 재 시 언 야

若能信心不退則誰不見性成
약 능 신 심 불 퇴 즉 수 불 견 성 성

佛_{이리요}
불

我今_에 證明三寶_{하사옵고}
아 금 증 명 삼 보

一 一 戒 汝 하노니
일 일 계 여

知 非 故 犯 則 生 陷 地 獄 이라
지 비 고 범 즉 생 함 지 옥

可 不 愼 歟 며 可 不 愼 歟 아
가 불 신 여 가 불 신 여

頌 曰
송 왈

玉 兎 昇 沈 催 老 像 이요
옥 토 승 침 최 노 상

金 烏 出 沒 促 年 光 이로다
금 오 출 몰 촉 년 광

求 名 求 利 如 朝 露 요
구 명 구 리 여 조 로

或 苦 或 榮 似 夕 烟 이로다
혹 고 혹 영 사 석 연

勸 汝 慇 懃 修 善 道 하노니
권 여 은 근 수 선 도

速 成 佛 果 濟 迷 倫 이어다
속 성 불 과 제 미 륜

주인공아, 들어라
自警文

今生若不從斯語하면
금 생 약 불 종 사 어

後世當然恨萬端하리라
후 세 당 연 한 만 단

그대는 보지 못하였는가?

역대의 모든 부처님과 조사가 옛날에는 모두 다 우리와 같은 범부였음을.

저들도 장부고 그대도 장부니 다만 하려고 하지 않을 뿐이지 능력이 없는 것은 아니니라.

옛사람 말에 '도가 사람을 멀리하는 것이 아니라 사람들 스스로가 멀리한 다'고 하였으며, 또 말하기를 '내가 어질고자〔仁〕 하면 이 어짊이 스스로 내게 온다' 하였으니, 진실로 옳은 말씀이라 하겠다.

만약 도를 이룰 수 있다는 신념을 가지고 물러서지 않는다면 누가 성품을 보아 부처를 이루지 못하겠는가? 내 이제 삼보를 증명으로 하여, 하나하 나 그대에게 경계하였으니, 잘못된 줄 알면서도 일부러 범하면 산 채로 지 옥에 떨어질 것이니 어찌 삼가지 않으랴.

게송으로 말하노라.

옥토끼 오르내려 늙음을 재촉하고

금 까마귀 들락날락 세월을 재촉하네.

명예와 이익 찾는 건 아침 이슬에 불과하고

괴로움과 영화도 저녁연기와 같은 것

그대 부디 도 닦기를 권하노니

어서 빨리 부처되어 미혹한 중생 건져주시오.

금생에 만약 이 말 듣지 않으면

다음 생에 틀림없이 한탄 거듭하리라.

강설 사람에게는 신분 직위에 따른 본분이 있다. 출가수행자의
본분은 수도修道이다. 이 본분에 충실히 하는 것이 수행자의 의무이
고, 만약 본분을 어기면 신분을 잃게 되는 것이다. 수행자가 수행을
하지 않으면 수행자가 아니란 말이다.

이 장에서는 야운 스님의 간절한 충고가 설해져 있다.

부디 도를 닦기를 권한다고 하였다. 그러면서 '도가 사람을 멀리하
는 것이 아니라 사람이 도를 멀리한다' 하였다. 그리고 수행자에게
자신감을 심어 주기 위해서 역대의 불조佛祖가 모두 우리 같은 범부
였다고 하였다. 범부가 수행하여 부처가 되는 것이 불교의 근본 강
령綱領이다. 인간에게서 부처를 찾는 것, 이에 불교가 있는 것이다.

주인공아, 들어라
自警文

게송에서는 일장 무상을 설하고 도를 닦아 부처가 되어 미혹한 중생을 건져주는 것, 이것 밖에 할 일이 없다 하였다. 발심수행자가 할 일이 바로 이 일 뿐인 것이다. 이 일은 사람이면 누구나 성취할 수 있으며, 불가능한 일이 아니라는 말로 스스로 채찍질하는 글을 마무리하였다.

주ㅣ 仁인은 공자의 가르침을 단적으로 나타내는 말이다. 유교의 궁극적 진리로 『논어』 「술이」 편에 공자가 말하기를 '인이 먼 데 있으랴. 내가 어질고자 하면 이 인이 내게 온다〔孔子曰 仁遠乎哉 我欲仁 斯仁至矣〕'하였다. 여기서 인을 인용해 말한 것은 도道를 가리켜 한 말이다.

玉兎옥토, 金烏금오의 뜻은 다음과 같다. 옥토는 달을 가리키고 금오는 해를 가리키는 말이다.

解題

해제

『초발심자경문』은 세 가지 과목을 합쳐서 부르는 말이다. 『계초심학인문』과 『발심수행장』 그리고 『자경문』을 합쳐 놓은 본으로 예로부터 불교 입문의 필독서로 여겨져 왔다. 특히 승가 교육에 있어서 사미과沙彌科의 기본 교재로 사용되어 수행에 임하는 기본자세와 정신을 가르쳐 왔다.

먼저 『계초심학인문』은 고려 때 보조국사 지눌知訥이 지은 것으로 제목 그대로 불교에 처음 입문한 초심자를 훈계하는 내용부터 사찰 내에서의 대중 생활의 규범과 선방에서의 참선 수행을 하는 사람들을 경각시키는 내용이 설해져 있다. 지눌이 고려 희종 1년(1205)에 조계산에서 수선사修禪社를 설립한 후 초심자들에게 올바른 수행 정신을 가르쳐 새로운 승가의 기강을 확립하기 위하여 저술한 것이다.

당시 고려 중기의 불교계가 왕실의 비호 아래 여러 가지 수행 풍토가 쇠퇴하여 부패와 타락의 모습을 보이는 것을 개탄한 지눌이 청정한 수행 풍토의 중흥과 출가자의 본분을 일깨우기 위하여 계, 정, 혜 삼학의 실수를 강조하고 대중의 일상생활에서 청규의 모범을 제시하는 뜻에서 지어진 것이다. 어린 출가자들에게 훈몽의 가르침이라 할 수 있는 나쁜 친구를 멀리하고 어질고 착한 사람을 가까이해야 한다는 이야기를 비롯하여 오계, 십계를 받아 잘 지켜야 할 것 등 승가 생활에서 실천해야 할 세세한 조목들을 밝히고 공동생활의

질서를 지켜 대중 화합에 힘쓸 것 등을 강조하였다. 심지어 종사가 법을 설할 때 가져야 할 설법을 듣는 자세에 대하여도 구체적으로 말해놓았다. 초심자와 일반 대중 그리고 선방에서 정진하는 납자들의 생활 지침까지 언급한 것이다.

총 908자에 불과한 글이지만 수행자 만대의 지침이 될 수 있는 내용으로 평가 받아 중국 명나라 때의 대장경 『명장明藏』과 일본의 『신수대장경新修大藏經』에도 수록되어 있다. 조선조 태조 6년(1397)에 상총尙聰이 왕지王旨를 받들어 전국 사원의 청규로 시행하게 한 것을 계기로 승가의 필수교과 과목으로 채택되었다. 보조국사 지눌은 고려불교의 중흥조로 추앙받는 스님이다. 고려 18대 의종毅宗 12년(1158)에 경서京西의 동주洞州, 지금의 황해도 서흥瑞興에서 태어났다. 속성은 정鄭씨이며 자호를 목우자牧牛子라 하였다. 16세에 출가하여 25세 때 그 당시 승려의 과거인 승과에 합격하였다. 『육조단경』을 보다가 깨달은 바가 있었으며, 또 통현장자通玄長者의 『신화엄론新華嚴論』을 보다 원돈의 이치를 터득하고 나중에 대혜어록인 『서장』을 보다가 심요를 얻었다. 한때 지리산 상무주암上無住庵에서 수선修禪에 힘쓰다 송광산 길상사吉祥寺로 옮겨 12년간 법을 폈다. 스님은 주로 『금강경』, 『육조단경』, 『화엄론』, 『대혜어록』 등을 중시하여 수행의 지침을 삼았으며, 성적등지문惺寂等持門, 원돈신해문圓頓信解門, 단전경절문單傳徑截門의 삼문三門을 세워 선교를 아우르면서 깊은 수행을 거듭하였다.

조정의 권유로 120일간 법회를 열어 『대혜어록』 30권을 강설한 적이 있었으며, 『수심결修心訣』, 『권수정혜결사문勸修定慧結社文』, 『진심직설眞心直說』, 『원돈성불론圓頓成佛論』, 『화엄론절요華嚴論節要』, 『법집별행록절요병입사기法集別行錄節要幷入私記』, 『간화결의론看話決疑論』, 『염불요문念佛要門』 등 많은 저술을 남겼다.

이 중 『법집별행록절요병입사기』가 선교를 두루 섭렵하여 불법의 대의를 터득해 구경究竟에 견성의 길로 나아가게 하는 그의 사상을 요약했다고 볼 수 있는 만년의 저술이다. 이는 중국의 규봉圭峰선사의 선교일치를 주장한 『선원제전집』과 같은 성격을 지닌 저술로 규봉의 『법집별행록』을 절요하여 사기를 붙인 것이다.

지눌은 1210년 3월 27일에 입적했다. 대중과 함께 선법당善法堂에서 문답을 끝낸 뒤 주장자로 법상을 두어 번 친 뒤 "천 가지 만 가지가 이 속에 있다"는 말을 남기고 법상에 앉은 채로 입적하였다. 그의 제자로는 『선문염송집』을 지은 혜심慧諶을 비롯하여 천진天眞, 확연廓然, 인민仁敏, 가혜可慧 등 수백 명이 있었다.

『발심수행장』은 신라 때 원효 스님이 지은 것으로 발심수행을 독려하는 내용이다. 이 역시 초심자들에게 열심히 수행 정진할 것을 권하며 부처님과 중생의 차이가 수행하고 수행하지 않는 차이임을 설하고 있다.

"부처님들이 적멸궁(부처님이 거처하는 궁전)을 이룬 것은 한량없는 세상의 욕망을 버리고 고행을 했기 때문이요, 중생이 불난 집의 문을 드나들며, 생사의 윤회를 벗어나지 못하는 것은 욕심과 성냄, 그리고 어리석음의 번뇌로 자기의 재물을 삼기 때문이라"고 말하면서 수행을 하는 자는 한시도 방일하고 쉴 틈 없이 매일 정진에 정진을 거듭해야 할 것을 강조하는 내용이다. 모두 706자의 비교적 짧은 글이지만 발심을 일으키게 하는 감동적인 글이다.

원효 스님은 우리나라 불교사상 가장 탁월한 업적을 남긴 스님으로 불교사의 새벽을 열었다 할 수 있다. 타의 추종을 불허하는 방대한 저술을 남겨 중국의 고승대덕에게까지 영향을 미치고 큰 존경을 받았다. 신라 28대 진평왕眞平王 39년(617)에 태어나 신문왕 6년(686)에 입적하기까지 불후의 명저들을 남기며 불법선양의 생애를 보냈다. 속성은 설薛씨였으며 서당誓幢이라는 아명兒名이 있었다. 소년 시절에는 화랑도에 들어간 적이 있으며, 나중에 출가를 결심하여, 살던 집을 고쳐 절을 만들어 초개사初開寺라 하고 진덕여왕 때 황룡사에 들어가 출가했다. 이후 스님이 되어 수도 정진하며 각종 불전佛典을 섭렵했다. 뚜렷한 스승도 없이 독학하여 최대의 학자이자 사상가로 꼽힌 그는 일생을 매우 드라마틱하게 보냈다. 의상과 함께 당나라에 들어가려다 노숙을 하고 해골 물을 마시고 일체 법이 마음에 있다는 이치를 깨달았다는 일화가 있으며, 요석공주를 만나 파계를 하고 설총을 낳은 후 복성거사卜姓居士 혹은 소성거사小姓居士라 자처하며 속인 행세를 하면서 만행을 한 일도 있다. 큰 표주박을 가지고 춤을 추는 광대를 보고는 광대처럼 탈바가지를 가지고 다니며 무애가無碍歌를 부르며 무애행無碍行을 보이기도 하였다.

"일체에 걸림이 없는 사람은 곧장 외길로 생사를 벗어난다."

〔一切無碍人 一道出生死〕

원래 『화엄경』에 나오는 경 구절이지만 원효가 무척 좋아했던 말이다. 때로 원효는 여염집에 유숙하기도 하고 때로는 명산대천을 찾아 좌선에 몰두하기도 하였다. 그의 행적을 『삼국유사』에서는 원효불기元曉不羈라 하여 어디에도 매이지 않았다고 표현하였다.

원효의 위대한 업적은 그 당시로서는 누구도 따를 수 없는 방대한 저술에 있다. 삼장에 걸친 그의 저술은 모두 91종이 문헌에 이름이 나오며, 100여 부 240권이 되었다 한다. 현존하는 그의 유저에는 경에 관한 것 9종, 율에 관한 것 2종, 논에 관한 것 4종, 기타 5종으로 모두 20부 23권으로 남아 있다.

고려 때 대국국사 의천은 『제종교장총록諸宗敎藏總錄』을 만들어 그 속에 원효의 저술 목록을 예시했다. 원효의 이렇듯 방대한 저술은 그의 종파주의를 지향하고 불교 전반에 관한 통불교적인 사상을 바탕으로 나온 것이다. 후대에 와서 원효의 사상 성격을 화쟁사상和諍思想이라고 말해 온 것처럼 그는 불교를 종합적인 포용 정신으로 수용하였던 것이다. "천파만파로 분열된 불교를 다시 일미의 대해大海로 돌아가게 하였다"는 말은 원효의 업적을 찬탄한 말이다. 대각국사가 원효를 성사로 존경해온 이래 마침내 고려 15대 숙종 6년(1101) 8월에 조서를 내려 원효를 동방의 성인이라 하면서 화쟁국사和諍國師라는 시호를 추증하였다.

원효의 수많은 저술 중에 『금강삼매경론金剛三昧經論』을 중국의 석학들이 논으로 불러준 것으로 원효사상의 탁월함을 보여주는 저술이다. 궁중에서 100명의 고승을 초청하여 열었던 호국법회였던 인왕경대법회에 주위의 시기로 참석하지 못했던 원효가 『금강삼매경』의 소인 『금강삼매경론』을 지어 황룡사에서 강설했을 때 왕과 왕비, 왕자와 공주, 조정의 대신들을 비롯하여 전국의 고승대덕이 참석해 듣고는 감탄을 금치 못했다고 한다. 이때 원효는 이런 말을 하였다 전해진다.

"지난날 나라에서 100개의 서까래를 구할 때에는 끼이지 못 했는데 오늘 단 한 개의 대들보를 가로지르는 마당에서는 나 혼자 그 일을 하는구나."

전에 시기하였던 고승들이 이 말을 듣고 깊이 뉘우치면서 부끄러워했다고 한다. 원효의 또 다른 저서 『대승기신론소大乘起信論疏』도 매우 유명하다. 중국의 석학들이 해동소라 부르며 앞다투어 인용했으며, 중국의 현수법장 같은 이는 그의 소인 『기신론의기起信論義記』에서 원효의 소를 많이 인용하고 있다. 인도의 용수나 마명 같은, 보살이라 불러진 사람들과 버금가는 수준인 것이다.

원효는 70생애를 일기로 입적하였다. 고선사高仙寺 서당화상탑비誓幢和尙塔碑에 '수공垂拱 2년 3월 30일 혈사穴寺에서 생애를 마쳤으니 춘추 70' 이라 되어 있다. 이 해는 31대 신문왕 6년(686)이다.

『자경문』은 고려 때 야운野雲 스님이 지은 것으로 선수행의 본분 공부를 잘 하도록 채찍질하는 글이다. 주인공이란 말을 써서 스스로를 경책하게 한다. "주인공아! 내 말을 들어라. 얼마나 많은 사람이 공문(空門: 불문) 속에서 도를 얻었거늘 그대는 왜 괴로운 업의 바다에 빠져 있는가?"로 시작하는 글이 모두가 자신을 타이르고 반성하게 하는 내용이다. 세 편 가운데 가장 긴 글로 글자 수가 2,000자에 가까운 1,987자이다. 수행자가 반드시 지켜야 할 사항을 열 가지 문으로 나누어 경책하는 말을 싣고 게송을 붙였다.

야운 스님은 생몰연대가 정확히 알려지지 않았지만 고려 말의 스님으로 나옹 스님의 제자라는 것이 정설이다. 일설에는 신라 때 원효 스님의 제자에 금강산선인金剛山仙人이라는 사람이 있었는데 이 사람의 호가 야운이었다는 설이 있어 『자경문』의 저자가 이 야운이라고 보는 설도 있었으나 『자경문』의 내용이 조사선법祖師禪法에 관해 말한 것이므로 원효 스님 당시에 아직 조사선법이 전해지지 않았으므로 고려 말의 야운이 저자라는 것이다.

함허 득통涵虛得通선사가 야운 스님에게 보냈다는 서찰이 전해지는데 거기에 시가 적혀 있다.

강월헌 앞에 강월이 밝고 〔江月軒前江月白〕

야운의 집 위에 들구름이 한가롭네 〔野雲堂上野雲閑〕

구름 빛 달빛이 서로 비치는 곳에 〔雲光月色交輝處〕

한 방이 텅 비어 몸이 절로 편안하네 〔一室含虛體自安〕

이 시에 나타난 강월헌과 야운당을 나옹 스님과 야운 스님의 호로 본다는 것이다. 야운 스님은 휘諱가 각우覺牛이며 성품이 매우 엄준하면서도 자상한 면을 갖추었다고 전해진다. 해인사에서 판각한 자경문 판본 서두에 나오는 야운 스님의 인품에 대한 글이 있다.

"문 앞의 뜰이 험준하고 의기가 높고 여유가 있으며, 옳지 못한 일을 용서하지 않아 그릇된 법을 꺾어버리는 용기를 갖추었으며, 자비를 열어 인도해주는 부드러운 얼굴을 가진 분으로 유명하고, 어질고 덕이 많은 야운 각우선사이시다."

〔門庭險峻 意氣高閑 現忿怒具折邪之相 開慈悲有引導之容 名賢大德 野雲覺牛禪師〕

이 『자경문』은 선수행, 특히 조사선을 참구하라고 권하면서 엄격한 율행을 지키며 빈틈없는 공부를 해 나갈 것을 강조하였다. 수행에도 참신성이 있어야 하며 세속적 명리나 나를 내세우는 아상 따위를 없애고 공부에 임해야 한다고 하였다. 이 『자경문』은 그대로 대중의 가장 모범이 될 만한 청규 이상의 수행 지침이라 할 수 있다.

附錄

부 록

〈1570년 강진 무위사 초발심자경문 목판본〉 대조

25쪽	厭 - 猒	혼용되어 사용된다. 이 책에서는 현재 통용되는 '厭'자를 사용했다.
30쪽	責 - 嘖	혼용되어 사용된다. 이 책에서는 현재 통용되는 '責'자를 사용했다.
34, 50쪽	閒 - 閑	혼용되어 사용되며, 두 한자는 동자同字이다. 이 책에서는 현재 통용되는 '閒'자를 사용했다.
34쪽	話 - 詁	저본에는 '詁'로 되어 있다. 그러나 문맥상 '詁'보다는 '話'이 맞다.
50쪽	瘧 - 虐	저본에는 '虐'으로 되어 있다. 그러나 문맥상 '虐'보다는 '瘧'이 맞다.
65쪽	響 - 嚮	저본에는 '嚮'으로 되어 있다. 그러나 문맥상 '嚮'보다는 '響'이 맞다.
69, 93쪽	導 - 遒	저본에는 '遒'로 되어 있다. 저본이 제작될 당시에는 '導'와 '遒'가 같은 의미로 사용되었으나 후대로 내려오면서 현재는 그 의미가 다르게 사용된다. 따라서 이 책에서는 문맥상 현재 통용되는 '導'자를 사용했다.

80쪽	虛 – 唐	저본에는 '唐'으로 되어 있다. '虛'와 '唐'의 의미는 비슷하지만, 문맥상 '虛'가 더 맞다.
86쪽	恒 – 亘	저본에는 '亘'로 되어 있다. 그러나 문맥상 '亘'보다는 '恒'이 맞다.
87쪽	逕 – 徑	혼용되어 사용된다. 이 책에서는 현재 통용되는 '逕'자를 사용했다.
104쪽	果 – 菓	혼용되어 사용된다. 이 책에서는 현재 통용되는 '果'자를 사용했다.
109쪽	蓄 – 畜	혼용되어 사용된다. 이 책에서는 현재 통용되는 '蓄'자를 사용했다.
137쪽	冷却人情永不顧	저본에는 '冷却人情永不顧' 구절이 삭제되어 있다. 그러나 이 구절은 현재 통용되는 『초발심자경문』에는 빠지지 않고 등재되어 있다. 아마도 목판을 새길 때 이 구절만 빠진 것으로 추정된다. 이 책에서는 현재 통용되는 어구를 등재했다.
142쪽	欣然	저본에는 '欣然' 구절이 삭제되어 있다. 그러나 이 구절은 현재 통용되는 『초발심자경문』에는 빠지지 않고 등재되어 있다. 아마도 목판을 새길 때 이 구절만 빠진 것으로 추정된다. 이 책에서는 현재 통용

되는 어구를 등재했다.

| 154쪽 | 倫 – 輪 | 저본에는 '輪'으로 되어 있다. 그러나 문맥상 '輪'보다는 '미혹한 무리(衆生)'이라는 뜻으로 '迷倫'이 통용해서 사용된다. 따라서 '倫'이 맞다. |

| 160쪽 | 懃 – 勤 | 저본에는 '勤'으로 되어 있다. 그러나 문맥상 '勤'보다는 '懃'이 맞다. |

★ 저본 상세 서지

자료유형 고서　**개인저자** 지눌 술 / 원효 술 / 야운 술　**서명/저자사항** 初發心自警文/[編者未詳]　**판사항** 木板本　**발행사항** 康津: 無爲寺, 宣祖 4(1570)　**형태사항** 不分卷1冊: 四周雙邊, 半郭 20.0 x 15.3 cm, 無界, 半葉 9行15字, 無魚尾; 25.6 x 17.2cm　**일반주기** 표제(表題)에 의(依)한 서명(書名)임. 구결약호현토묵서(口訣略號懸吐墨書)　**간기** 隆慶四年庚午(1570)暮春　전라도강진지무위사개간(全羅道康津地無爲寺開刊)　**지질** 저지(楮紙)　**내용주기** 誠初心學人文 / 知訥 述. – 發心修行章 / 元曉(新羅) 述. – 野雲自警序 / 野雲(高麗) 述　**일반주제명** 子部, 釋家類　**비통제주제어** 초발심자경문

처음처럼

初心

1판 1쇄 펴냄 2009년 7월 10일
1판 3쇄 펴냄 2010년 11월 10일

강설 지안
펴낸이 이자승
펴낸곳 조계종출판사

출판등록 제300-2007-78호 **등록일자** 2007년 4월 27일
주소 서울시 종로구 견지동 13번지 대한불교조계종 전법회관 7층
전화 02 733 6390 **팩스** 02 720 6019 **홈페이지** www.jogyebook.com

ⓒ 지안, 2009

ISBN 978-89-93629-14-9 04220
      978-89-93629-13-2(세트)